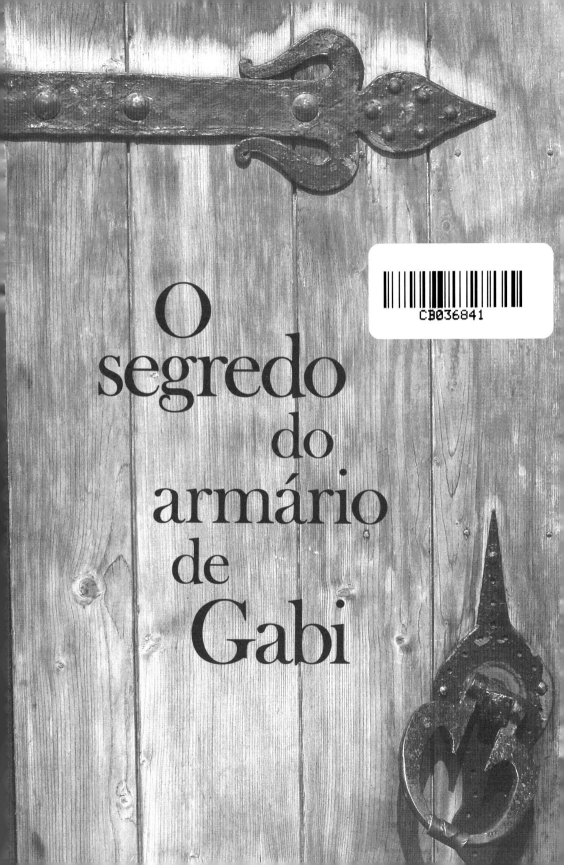

O segredo do armário de Gabi

© 1999 do texto por Kathy Kacer
Callis Editora Ltda.
Todos os direitos reservados.

2ª edição, 2017
3ª reimpressão, 2022

Texto adequado às novas regras do Acordo Ortográfico da Língua Portuguesa

Coordenação editorial: Miriam Gabbai
Preparação de textos: Ricardo N. Barreiros
Tradução: Bárbara Menezes
Revisão: Maria Christina Azevedo
Projeto gráfico e diagramação: Idenize Alves
Capa: Thiago Nieri
Foto de capa: iStockphoto

CIP-BRASIL. CATALOGAÇÃO-NA-FONTE
SINDICATO NACIONAL DOS EDITORES DE LIVROS, RJ

K13s

Kacer, Kathy, 1954-

O segredo do armário de Gabi / Kathy Kacer ; [tradução Bárbara Menezes]. - 2. ed. - São Paulo : Callis, 2017.

100p. : 23 cm

Tradução de: *The secret of Gabi's dresser*

ISBN 978-85-7416-951-4

1. Crianças judias no holocausto - Tchecoslováquia - Ficção infantojuvenil. 2. Guerra Mundial, 1939-1945 - Tchecoslováquia - Ficção infantojuvenil. 3. Literatura infantojuvenil canadense. I. Menezes, Bárbara. II. Título.

CDD: 940.5318

CDU: 94(100)"1939/1945"

ISBN 978-85-7416-951-4

Este livro contou com o apoio do Conselho Canadense para as Artes

Impresso no Brasil

2022
Callis Editora Ltda.
Rua Oscar Freire, 379, 6º andar • 01426-001 • São Paulo • SP
Tel.: 11 3068-5600 • Fax: 11 3088-3133
www.callis.com.br • vendas@callis.com.br

Kathy
Kacer

O segredo do armário de Gabi

Tradução:
Bárbara
Menezes

callis

Dedicatória

Em memória de minha falecida mãe, Gabriela Offenberg Kacer, com profundo amor e admiração.

Para meus filhos, Gabi e Jake. Cabe a eles levar a memória adiante.

Agradecimentos

Meus agradecimentos vão para Margie Wolfe e para a Second Story Press por terem acreditado em uma autora nova, para Sarah Swartz por ter me ajudado a começar e para Gena Gorrell por seus comentários perspicazes.

Sou abençoada pelo amor e apoio de meu marido, Ian Epstein, e meus filhos, Gabi e Jake. O incentivo e o entusiasmo deles me inspiraram a tornar real meu sonho de escrever.

Prefácio

Em 1933, o Partido Nazista chegou ao poder na Alemanha, liderado por Adolf Hitler, um ditador poderoso e cruel que passava por cima de qualquer um que se opusesse a ele. Os nazistas acreditavam que a maioria dos alemães fazia parte de uma raça ariana superior e que pessoas "inferiores", como judeus, ciganos e portadores de deficiências, deveriam ser eliminadas. Sob o domínio nazista, os judeus foram considerados culpados pela derrota da Alemanha na Primeira Guerra Mundial e pelos terríveis problemas econômicos do país.

Em março de 1938, a Alemanha ocupou sua vizinha Áustria. A Itália, a Hungria e a Romênia ficaram ao lado dos nazistas. Em setembro de 1938, foi entregue a Hitler uma porção da Tchecoslováquia, como parte do "Pacto de Munique", um acordo com a Grã-Bretanha, a França e a Itália. Seis meses depois, a maior parte da Tchecoslováquia estava sob o domínio nazista.

Em 1º de setembro de 1939, a Alemanha invadiu a Polônia e a Segunda Guerra Mundial começou. À medida que os países caíam perante o exército alemão — Dinamarca, Noruega, França, Bélgica, Holanda — a perseguição aos judeus espalhava-se por quase toda a Europa. Os judeus eram oprimidos por infinitas leis e regulamentações. Eles perderam seus empregos, e suas casas e pertences foram roubados. Foram forçados a ir para campos de concentração, para serem usados como escravos; ou passaram fome; ou foram simplesmente assassinados.

A Alemanha e seus partidários — conhecidos como o Eixo — sofreram oposição dos Aliados, que incluíam os países da Grã-Bretanha, o Canadá, a Austrália, a Nova Zelândia e, mais tarde, os Estados Unidos e a União Soviética. Os aliados venceram a guerra, porém, quando a Alemanha foi derrotada, em maio de 1945, pelo menos seis milhões de judeus e muitas outras pessoas inocentes tinham sido mortos, em nome da "superior" raça ariana.

Capítulo 1

— Estou salva! — gritou Vera, quando passou correndo por Paul e tocou na escada. Ela pulou e dançou em volta do irmão enquanto gritava:

— Está com você de novo!

— Onde você estava escondida desta vez? — Paul quis saber, com um olhar frustrado. — Eu procurei em toda parte.

— E por que eu contaria isso a você? — Vera provocou. — Eu posso querer me esconder lá de novo.

Ela podia ver o quanto seu irmão estava aborrecido, mas era divertido zombar dele desse jeito.

Vera e Paul estavam na casa de sua avó. Os seus pais os deixavam lá todos os domingos antes do almoço e voltavam para buscá-los antes do jantar.

A avó deles morava em uma velha casa no centro da cidade. Ela reclamava com frequência que a casa de três andares era muito grande para uma pessoa só. Havia muitas escadas, muitos aposentos afastados, muitos cantos e rachaduras. Porém, para Vera e Paul, a casa era o lugar perfeito para brincar de esconde-esconde.

— Vejamos — disse Vera —, eu me escondi cinco vezes e você só me achou uma vez. Vamos brincar mais uma vez e aí vamos pegar algo para comer.

— Certo, mais uma vez, mas desta vez... ESTÁ COM VOCÊ!

Paul bateu no braço dela e saiu correndo, rindo alto de alegria.

— Sem chance! Eu ganhei da última vez! Paul, você é um trapaceiro! — gritou Vera, correndo atrás de seu irmão e segurando-o pelo ombro.

Nesse momento, a avó deles apareceu na entrada da cozinha. Ela estava cozinhando e trazia as mãos cobertas de massa de biscoito e esticadas à sua frente, como se ela fosse um médico que tinha acabado de se limpar para entrar em uma cirurgia. Seu avental, um presente dos netos, estava salpicado de farinha, açúcar e outros ingredientes. As flores azul-claras e vermelhas dele estavam escondidas pela poeira da cobertura de açúcar, que tinha sujado a avó desde os ombros até acima dos seus joelhos, onde acaba- va o avental. Usando a parte de trás de uma das mãos, ela cuidadosamente empurrou seus óculos de volta para cima.

— Vera! Paul! Quanto barulho! Aqui não é um parquinho de diversões. Os vizinhos devem pensar que tem um circo se apresentando aqui.

Embora sua voz parecesse rude, Vera e Paul sabiam que ela não estava irritada de verdade. Ela nunca ficava brava com eles, pelo menos não por muito tempo.

— Babichka*, Paul está trapaceando — Vera começou a dizer, ainda se- gurando o braço de seu irmão.

— Não estou — Paul interrompeu, lutando para se livrar do aperto da irmã. — Você é que não quer brincar do jeito justo.

— Crianças, crianças, parem! Vocês dois são inteligentes e sabem que não devem brigar assim. Eu estava vindo dizer a vocês que tem biscoitos de semente de papoula e bolo de nozes saindo do forno, mas, se vocês pre- ferem ficar aqui e discutir, tenho certeza de que posso encontrar outra pes- soa para comê-los.

---

* Nota da tradutora: "babichka" significa "vovó" em tcheco.

Os olhos dela brilharam enquanto ela tentava-os com suas gostosuras favoritas.

— Esqueça a briga — disse Paul. — Estou com fome!

As duas crianças seguiram sua avó até a cozinha rindo, esquecidas da discussão.

Parecia que a cozinha da babichka deles sempre tinha o cheiro de alguma coisa boa. Às vezes, era cheiro de refeição, como vitela assada com batatas inteiras e cenouras. Porém, aos domingos, geralmente era cheiro de sobremesas, como as que estavam naquele momento saindo do forno. Vera e Paul observaram a avó cortar cuidadosamente o bolo de nozes e colocar uma fatia na frente de cada um deles com um copo de leite. Canela e uvas-passas saíam de cada fatia. As crianças não perderam tempo, terminaram suas porções e pediram mais.

— Hum, esse bolo é o melhor — disse Vera com um suspiro.

Gabi Kohn olhou com amor para seus netos. Tê-los como visitas todos os domingos era a melhor parte da sua semana. Ela sempre aguardava ansiosa para cozinhar, jogar e compartilhar histórias com eles. Aos setenta anos de idade, ela era bonita e estava sempre bem vestida, com seu cabelo cinza-prateado preso para trás em um coque bem penteado. Ela sempre foi baixa e era mais gordinha do que antes, mas andava com dignidade e elegância. Seus olhos verdes e brilhantes e seu jeito animado ainda a faziam parecer jovem.

— Estou feliz que tenham gostado do meu bolo, queridos. E, agora que seus estômagos estão cheios, digam por que é que vocês estavam brigando.

— Bem, é simples — Paul começou. — O problema é que esta casa tem muitos lugares para se esconder. Quando Vera se esconde, eu não consigo encontrá-la, então, toda vez sou eu que tenho que procurar. É impossível encontrar alguém nesta casa.

A avó deles parecia pensativa.

— Eu já contei sobre um esconderijo especial que tive uma vez?

Vera e Paul sorriram, sentindo que lá vinha uma história. A avó deles contava histórias maravilhosas e eles adoravam passar o domingo a ouvi-la. Às vezes, ela lia para eles histórias de livros e sua voz mudava com cada personagem. Ela conseguia fazer uma voz de bruxa velha e assustadora ou uma voz tão jovem e divertida quanto a de uma criança. Ela conseguia até fazer vozes para animais diferentes.

Muitas vezes, ela inventava histórias mágicas da sua própria cabeça. Criava histórias sobre lugares encantados e muito distantes com pessoas que passavam por aventuras emocionantes, mas sempre davam um jeito de viverem felizes para sempre.

Porém, as histórias de que Vera e Paul mais gostavam eram as que ela contava de sua infância. Essas histórias eram sobre pessoas reais e aventuras que aconteceram de verdade. Pelas histórias da avó, Vera e Paul foram apresentados a parentes e eventos que desconheciam. Era como olhar por uma janela para o próprio passado deles.

— Você brincava de esconde-esconde quando era pequena? — Paul perguntou. — Sabe, quando você morava na Tcheco... Tchecos...

— Tche-cos-lo-vá-quia — Vera disse cuidadosamente. Ela tinha dez anos, dois anos a mais que seu irmão. Muitas vezes, conseguia se lembrar de coisas que eram difíceis para ele.

— Isso, Tchecoslováquia — disse Paul, franzindo as sobrancelhas por causa da interrupção.

— Bem, eu tinha quase a sua idade quando tive meu esconderijo, mas, daquela vez, eu não estava brincando — respondeu a babichka enquanto fechava os olhos e encostava-se para trás em sua cadeira. Vera e Paul sabiam que ela estava pensando em sua infância. Com frequência, quando ela começava uma história sobre o lugar onde nasceu, ela fazia uma pausa, como se os pensamentos estivessem à deriva, a muitos e muitos quilômetros dali. Ela sempre tinha sido sincera com eles sobre sua vida na Europa nos anos de 1930 e 1940, até mesmo sobre como sua família e outras pessoas tinham sofrido por serem judias. Vera e Paul esperaram pacientemente até ela começar a falar novamente.

— Venham comigo, crianças — ela disse de repente, levantando-se da poltrona. — Eu quero mostrar uma coisa a vocês.

Eles a seguiram enquanto ela os guiava para fora da cozinha até a sala de estar. No centro da sala, havia um armário de louças de madeira. As crianças nunca tinham prestado atenção nele antes, ele simplesmente estava lá, como qualquer outro móvel da sala. Agora, eles observavam a avó correr os dedos carinhosamente pela parte de cima do armário. A madeira, embora rachada em vários lugares, estava polida e tinha um brilho suave, que a fazia cintilar à luz da tarde. A parte externa do armário era esculpida com elaboradas decorações. Na parte superior, sobre pequenos guardanapos bordados à mão, ficavam duas tigelas de cristal para doces, uma estátua de porcelana de duas crianças sentadas em um banco de parque e uma fotografia de Vera, Paul e seus pais. A avó estendeu a mão para uma das tigelas de cristal e tirou de lá uma velha chave de metal. Ela se curvou e destrancou as duas portas do armário de louças.

— Este armário ficava na sala de jantar da casa onde morei quando era criança – ela começou a contar. — Minha mãe guardava coisas lindas dentro dele. Guardava seus belos cristais, a perfeita louça branca com borda de ouro e os objetos de prata que eram polidos até brilharem, usados somente em ocasiões especiais.

— São iguais às coisas que a senhora guarda aí agora — Paul interrompeu.

— Deixe a babichka contar a história dela — Vera protestou.

A velha senhora fez uma pausa enquanto as crianças se sentavam confortavelmente no sofá.

— Sim, como eu, minha mãe guardava coisas lindas no armário de louças. Mas houve um tempo em que todas essas coisas belas foram tiradas e colocadas de lado. Assim, o armário foi usado para algo diferente. Este armário era meu esconderijo secreto.

Capítulo 2
Tchecoslováquia, 1940

Muitos e muitos anos atrás, eu morava com meus pais em uma fazenda, numa pequena vila na parte oriental de um país que era chamado, na época, de Tchecoslováquia. Tínhamos uma bela e antiga casa feita de pedras com lindos quartos, pisos brilhantes de madeira e uma escada em espiral. Quando eu olhava pela janela do meu quarto, podia ver as montanhas que cercavam nossas terras e nos separavam da Polônia. As montanhas mudavam a cada estação, como se um artista tivesse criado uma pintura nova em folha. No inverno, elas ficavam geladas e brancas com a neve, e arbustos e árvores desfolhados lançavam sombras azul-escuras e cinza pela encosta. No verão, como rosas selvagens e dentes-de-leão amarelos floresciam pelas montanhas, elas ficavam salpicadas de um arco-íris de cores.

Eu não sabia na época, mas aquele era um momento crucial da história da Tchecoslováquia e, na verdade, da história do mundo. Uma guerra estava começando na Alemanha e, lentamente, ela estava rastejando até nós. Ela teria um efeito devastador sobre pessoas de todos os lugares, em especial sobre os judeus, como nós. Porém, como eu era criança, fui protegida dessa informação pelos meus pais, pelo menos por algum tempo. Para mim, meu país era um lugar seguro para viver e eu ganhava amor e carinho em casa.

Havia outras famílias de judeus na nossa vila e nas vilas próximas, embora poucas delas fossem de fazendeiros. Os Bottensteins tinham uma loja de roupas, o senhor Wohl era dono de um depósito de madeira, a família

Deutch era formada por alfaiates. Outras famílias de judeus eram donas de lojas e vendiam tecidos, alimentos, potes, panelas e equipamentos para fazendas. Durante as noites e os fins de semana, o senhor Schlesinger, dono do bar local, recebia meu pai e seus amigos, que eram vistos jogando cartas, tomando café ou ouvindo as últimas fofocas locais. Meu lugar favorito era a padaria, onde a senhora Springer às vezes dava bolinhos para mim e meus amigos quando passávamos.

Nossa fazenda era uma das maiores da área. Cultivávamos trigo, aveia, cevada e batatas e criávamos gado leiteiro. Tínhamos muitos empregados, que nos ajudavam a cuidar das vacas e dos campos. Meu pai trabalhava na terra e gerenciava a fazenda, minha mãe cuidava da nossa casa e ajudava meu pai quando ele precisava dela. Não havia nada que ela não pudesse ou não quisesse fazer. Ela colhia a produção com os empregados, cuidava dos animais quando eles ficavam doentes ou tinham filhotes, até entendia de doenças humanas e remédios. Os empregados da fazenda vinham com frequência pedir conselhos a ela quando estavam doentes, em vez de viajarem até a cidade para ir ao médico. Eu participava de todas essas atividades da fazenda e cresci compartilhando o amor de meus pais por aquela terra.

Eu me lembro da vez em que fiquei acordada a noite toda para ver uma vaca dar à luz. Minha mãe me deixou acariciar a cabeça da vaca enquanto ela ajudava no parto do bezerro. Assisti impressionada quando a cabeça, os ombros e as pernas do filhote saíram de sua mãe. Dei o nome de Tibi ao bezerro e ele me seguia pelo celeiro como um cachorrinho.

Nossa vila era muito pequena para ter uma escola própria, por isso, até eu completar doze anos, frequentei a escola de uma cidade próxima à nossa. Todos os dias, meus amigos e eu andávamos por mais de meia hora para chegar à escola. Não nos importávamos de caminhar porque nos divertíamos muito conversando, o tempo passava rápido com nossas histórias e brincadeiras.

— Gabi — minha amiga Marishka me chamava —, quer apostar uma corrida até a escola?

— Não corram — Nettie reclamava. — Meus sapatos são novos e estão apertando meus dedos.

— Oh... coitadinha. Sapatos novos, vestido novo, laço novo no cabelo, mas você não pode nem andar – nós provocávamos.

Os pais de Nettie eram donos da loja de roupas mais chique da cidade e as roupas dela eram sempre da última moda. Às vezes, ela nos trazia alguma coisa especial da loja: uma echarpe de seda para mim, um laço colorido para o cabelo de Marishka e até mesmo um lenço feito à mão para um dos meninos.

— Gabi, você vem comigo até a padaria depois da escola? Eu tenho dinheiro sobrando da mesada e vou comprar para você um rocambole de chocolate — Nina disse certo dia.

Nina era minha melhor amiga. Morávamos em fazendas vizinhas e tínhamos crescido juntas. Diferentemente da maioria dos meus amigos, Nina não era judia. Eu a ouvi me tentar com a minha sobremesa favorita e percebi que, novamente, ela tinha esquecido algo importante da minha vida. Era sexta-feira, eu tinha de ir direto para casa depois da aula para preparar a casa para o sabá.

— Eu gostaria muito, mas tenho de preparar a mesa antes do pôr do sol — eu a lembrei.

— Opa! Esqueci. Não é justo você não poder brincar de sexta-feira, principalmente no inverno, quando escurece tão rápido que nem temos tempo suficiente para fazer nada.

— Talvez a mamãe deixe você dormir lá em casa na próxima sexta — eu sugeri. — Você pode ir comigo para casa depois da aula e me ajudar a preparar as coisas. Lembra-se da última sexta-feira em que você veio? Aposto que você não se lembra da oração hebraica que ensinamos a você.

— Pelo menos vou me lembrar de não assoprar as velas do sabá depois do jantar. Como eu poderia saber que elas devem queimar até o fim?

Nina e eu demos risada enquanto andávamos juntas de mãos dadas. Sempre fomos como irmãs e compartilhávamos nossos maiores segredos. A diferença entre as nossas religiões não atrapalhava a nossa amizade, apenas tínhamos curiosidade sobre as tradições e os feriados uma da outra. Lembro-me de, uma vez, ter ido à comunhão na igreja católica da cidade. Nina e seus pais explicaram o que significava quando eles tomavam o vinho tinto e comiam o pequeno biscoito que o padre oferecia. Eu me senti mais próxima à Nina depois disso, como se tivéssemos compartilhado algo muito íntimo. Eu sabia que ela sentiu a mesma coisa quando esteve em nossa casa para a Páscoa judaica. Ela provou o *matzá*, o pão sem fermento, pela primeira vez.

Não era assim com todas as famílias cristãs da cidade, muitas pessoas olhavam os judeus com uma combinação de ressentimento e medo. Elas tinham inveja de qualquer sucesso que um judeu tivesse nos negócios e tinham medo e suspeitavam de qualquer pessoa que praticasse uma religião diferente. Algumas causavam problemas para nós, deixando de fazer compras em lojas de judeus, escrevendo mensagens malcriadas na parede da sinagoga ou não deixando seus filhos brincarem conosco. Os judeus muito religiosos eram o alvo da maioria desses incidentes porque a aparência deles era muito diferente: os homens usavam casacos pretos longos e chapéus pretos, e suas esposas cobriam as cabeças com perucas e usavam vestidos de uma só cor que cobriam seus braços e pernas e, geralmente, eram bem abotoados até seus pescoços. Eles falavam em iídiche na maior parte do tempo e seus filhos frequentavam escolas especiais que enfatizavam os estudos religiosos. Minha escola tinha uma mistura de crianças cristãs e judias e acho que posso descrever minha casa assim também. Era uma mistura de costumes religiosos e outros não tão religiosos.

Por exemplo, seguíamos leis severas de alimentação. Alguns alimentos nunca comíamos e não misturávamos carne e laticínios na mesma refeição. Tínhamos até dois conjuntos de louça, um para carne e um para leite, porém, não íamos à sinagoga todo sábado e, às vezes, meu pai trabalhava no dia reservado para descanso. Embora cumpríssemos muitos dos costumes e feriados judaicos, não éramos tão religiosos quanto os judeus mais obedientes e não nos vestíamos como eles. Talvez por isso eu conseguisse me misturar tão facilmente com meus colegas cristãos na escola.

Alguns dos meus amigos não tinham tanta sorte. Um grupo de meninos cristãos era conhecido por procurar briga com os meninos judeus da minha escola. Eles encostaram meu amigo David contra a parede um dia e tentaram forçá-lo a entregar dinheiro. Quando ele se recusou, eles pularam em cima dele, tentando bater, socar e rasgar as suas roupas. David conseguiu enfrentá-los e até distribuiu alguns socos antes de escapar. Ele acabou com um olho roxo, mas exibia-o com orgulho, satisfeito por ter se defendido. Incidentes como esse aconteciam às vezes e, nesses momentos, os adultos geralmente só davam de ombros e diziam que não havia muito o que pudéssemos fazer a não ser ignorar os provocadores. Aprendemos a evitar situações que pudessem nos trazer problemas.

Naquela sexta-feira à tarde, eu me despedi da Nina e prometemos ir patinar na noite seguinte na lagoa congelada.

Virei-me para caminhar pela longa estrada até a minha casa. Não me importava muito de não poder ir à padaria, eu aguardava ansiosa pelo sabá mais do que por qualquer outro dia da semana. Nas sextas-feiras, quando eu chegava da escola, nossa casa já estava cheia dos aromas da comida da minha mãe. Uma fragrância de sopa de frango, pão de ovo com levedura e *strudel* de maçã rodeou-me assim que passei da porta.

— Mamãe — eu gritei quando entrei. — Tenho que contar o que aconteceu na escola hoje. O senhor Reich estava debruçado sobre a mesa da Nina para corrigir a lição de aritmética dela e, quando ele se ergueu, derrubou o tinteiro. Ele derramou tinta preta em todo o terno, todo mundo deu muita risada, menos o senhor Reich, é claro. E...

— Gabi, vá mais devagar e respire — minha mãe respondeu, segurando minhas bochechas frias entre suas mãos quentes. — Quero ouvir todas as suas histórias, mas, primeiro, pegue a louça e a prataria no armário de louças e arrume a mesa. Depois, prepare as velas do sabá para serem acesas. Logo ficará escuro e seu pai chegará do trabalho.

O armário de louças ficava na sala de jantar e guardava todos os nossos objetos especiais. Toda sexta-feira, eu pegava a chave de metal que minha mãe deixava pendurada na cozinha e destrancava as duas portas. Primeiramente, eu encontrava a toalha de mesa de linho branco e os guardanapos que combinavam com ela, nos quais minha mãe tinha bordado suas iniciais. Depois, com cuidado, eu retirava a louça branca e os castiçais de prata. Os copos de cristal eram os últimos a serem carregados do armário para a mesa. Eu era extremamente cuidadosa para não derrubar nada. Uma rachadura em um prato, uma lasca em um copo ou uma marca na prataria partiria o meu coração e o coração da minha mãe. Eu tinha carinho por aqueles tesouros como se fossem meus e adorava o armário de madeira que os abrigava.

Capítulo 3

As sextas-feiras à noite eram sempre iguais na nossa casa. Do momento em que eu entrava pela porta até a hora de dormir, eu podia contar com a nossa rotina como eu contava com o nascer e o pôr do sol todo dia. Eu esperava perto da escada até meu pai chegar do trabalho. Ouvia o som da porta se abrindo e seus passos no *hall* e, em seguida, eu me jogava em seus braços assim que ele tirava o paletó.

— Ah, minha Gabi, você me assustou! Eu não esperava que estivesse aqui — meu pai brincava toda semana, enquanto me abraçava com seus poderosos braços. Ele sempre cheirava a fumo de charuto misturado com loção de barbear, eu adorava esse aroma familiar.

— Papai, preciso contar o que fizemos na escola hoje.

Minhas histórias começavam no momento em que meu pai entrava em casa.

— Lembra-se da história que escrevi sobre ter visto nosso bezerro nascer na última primavera? Bem, eu tirei a nota mais alta da turma e pude ler a história em voz alta para todos. Mais tarde, Nina entregou os convites para a festa de aniversário dela e a mamãe disse que vai me levar à cidade na próxima semana para comprarmos um presente para ela. Vi alguns papéis de carta lindos que acho que ela vai adorar e...

— Gabi, vá mais devagar e deixe que eu me sente. O sabá vai acabar e eu ainda estarei aqui ouvindo suas histórias. Teremos muito tempo para conversar durante o jantar.

Nossa casa ficava animada enquanto o sabá era preparado. Alguns dos empregados ajudavam mamãe a fazer o jantar na cozinha enquanto o papai lia o jornal e descansava de seu longo dia de trabalho. Eu corria entre eles, às vezes ajudando a mamãe a cozinhar, às vezes interrompendo a leitura do papai e, provavelmente, atrapalhando bastante!

Logo antes do pôr do sol, meu pai colocava seu quipá, o pequeno chapéu usado durante as orações e as refeições, e nós acendíamos as velas do sabá que eu tinha tirado do armário de louças. Os castiçais tinham pertencido à minha bisavó e passado para a minha avó e depois para a minha mãe. Mamãe me lembrava toda sexta-feira que eles seriam passados para mim, para que eu pudesse dar continuidade à nossa tradição. Eu acendia as velas e mamãe e eu cobríamos nossos olhos enquanto recitávamos as orações do sabá em hebraico. Papai sempre sussurrava uma prece. Ele dizia que era uma oração especial para nos manter seguros. Eu me sentia protegida estando lá com meus pais, sob o brilho suave das velas.

Chegava então o momento de comer. Até a nossa refeição era a mesma toda semana. Começávamos com a sopa de frango e bolinhos fofos no formato de nuvens, depois, saboreávamos frango e bife assados, batata doce, cenouras e bolinhos de maçã fritos. O frango assado ainda estava estalando quando minha mãe o trazia para a mesa. Eu sempre pedia as asas e quebrava os ossos. A nossa refeição terminava com bolo de passas e canela, quente e doce. Se eu tivesse sorte, podia repetir todos os pratos. Até tomava um gole do vinho do papai.

Às vezes, recebíamos outros membros da família. Embora eu fosse filha única, eu tinha muitas tias, tios e primos. Quando eles vinham para o sabá, a nossa casa se tornava uma loucura de barulho e agitação. Em noites assim, nós, crianças, jantávamos em uma mesa menor na cozinha, longe dos adultos. Era divertido ficarmos sozinhos, fingindo que era nosso próprio jantar, mas eu nem sempre gostava de ter de cuidar dos primos mais novos.

Era eu quem ficava encrencada se eles não se comportassem! Como na vez em que a pequena Mira abriu o armário de louças e começou a brincar com o vaso de cristal da minha mãe. Quando notei o que Mira tinha nas mãos, era tarde demais. Vi, sem poder fazer nada, o vaso se quebrar no chão. Mamãe colocou a culpa em mim, dizendo que era minha responsabilidade cuidar melhor das crianças pequenas e eu fui proibida de sair para patinar no gelo por uma semana. Eu achei que minha mãe estava sendo totalmente injusta e fiquei muito brava. Lembro-me de quanto tempo demorei para superar minha indignação e voltar a gostar da companhia dos meus primos.

No entanto, na maioria das noites de sexta-feira, éramos só eu, a mamãe e o papai. E eu podia sentar à mesa da sala de jantar, onde era tratada como adulta. Entre os barulhos que fazíamos ao comer e beber, conversávamos sobre a semana: o que eu tinha feito na escola, que notícias os empregados tinham trazido para a minha mãe, quem meu pai tinha contratado para trabalhar na fazenda, quais animais estavam doentes ou prestes a ter filhotes. Eu era incluída em todas as discussões.

Depois do jantar, quando a louça estava sendo lavada, minha tarefa era guardar tudo. A louça, a prataria e os copos eram cuidadosamente devolvidos ao armário para serem guardados com segurança. Depois, íamos para a sala de estar para a próxima etapa do nosso ritual.

— Gabi, pegue o tabuleiro de xadrez no armário de louças — papai dizia. — É hora da nossa revanche, e não pense que será nesta semana que você ganhará de mim!

Lá no fundo do armário, atrás dos pratos e dos álbuns de fotos, ficava o jogo de xadrez. Era um belo jogo de madeira que meu pai ganhou quando era criança, as peças tinham sido esculpidas à mão e pareciam reis, rainhas e cavaleiros de verdade. Os cavaleiros carregavam escudos e lanças e estavam sentados sobre cavalos com olhos salientes e orelhas pontudas e levantadas. Meu pai tinha me ensinado a jogar quando eu era bem pequena, eu jogava bem e era cuidadosa em cada movimento, mas nunca era boa o suficiente para ganhar dele. Não tenho certeza se nosso rabino aprovaria que jogássemos xadrez no sabá. Deveria ser um momento de oração e reflexão em silêncio, mas era a nossa tradição e não abriríamos mão dela por nada. Lá, no conforto da sala de estar, com minha mãe lendo na poltrona grande, perto da janela, nossa conversa continuava até tarde da noite.

Essa era a minha vida quando criança e, até eu ter quase onze anos, era, na maior parte, repleta de bons momentos e memórias felizes. Entretanto, foi lá, na nossa sala de estar, em uma sexta-feira à noite, onde discutimos pela primeira vez os eventos perturbadores que já começavam a mudar a nossa vida.

— Papai — eu disse naquela noite —, você se lembra de um menino da minha classe que se chama Martin? Bem, ele disse uma coisa muito estranha hoje. Disse que logo não poderei mais ir à escola porque sou judia.

A mão de meu pai parou no meio de um movimento de xadrez e ele deu uma olhada rápida para minha mãe. Ela parou de ler e apoiou o livro em seu colo.

— Do que ele estava falando? — eu perguntei.

Meu pai ficou mexendo em uma peça do xadrez. Quando arrumou seus óculos, percebi que suas mãos tremiam um pouco.

— Estão dizendo algumas coisas, Gabi — ele começou, desconfortável. — Algumas coisas estão acontecendo em outros países.

— Que tipo de coisas?

— Bem — papai começou a dizer —, deixe-me tentar explicar. Você já sabe sobre o Partido Nazista, o partido político que governa a Alemanha agora, e sobre seu líder, Adolf Hitler. E você sabe que o exército alemão já invadiu a Polônia, a Dinamarca, a Noruega e outros países.

Eu concordei com a cabeça. Na escola, tínhamos aprendido sobre o governo da Alemanha e como o exército de Hitler estava dominando boa parte da Europa.

Papai continuou:

— Hitler e seus nazistas desprezam os judeus. Houve relatos em jornais sobre judeus na Alemanha sendo forçados a abrir mão dos seus negócios, mas é difícil acreditar que esses rumores sejam verdade e isso não aconteceu aqui na Tchecoslováquia. Não acho que tenha a ver com a gente.

Sua expressão estava tão séria que eu, de repente, fiquei preocupada.

— Mas, papai, e se tiver a ver? Martin disse que logo os judeus não vão nem poder ficar em suas casas. E ele falou de um jeito irritado e cruel. Não podem tirar nossa casa, podem?

— Calma, calma, Gabilinka. Você não deve ficar preocupada. E pode dizer a esse Martin que eu disse isso a você. Tudo bem?

Eu concordei com a cabeça, mas a resposta do meu pai não ajudou muito a devolver a minha confiança. Pensei em uma conversa que tinha tido naquela semana com Dora, uma menina da minha classe. O senhor Reich tinha acabado de devolver nossas provas de ortografia. Estava olhando o meu péssimo resultado, preocupada com o que meus pais iam pensar, quando Dora se aproximou por trás de mim e disse, como se não fosse nada:

— É porque você é judia.

— O quê? — perguntei, confusa.

— Você foi tão mal na prova porque é judia.

Dora continuou, explicando que seus pais disseram que os judeus não eram muito inteligentes. Algo sobre terem cérebros menores, por isso não conseguíamos entender as coisas tão bem quanto outras pessoas. Fiquei pasma com o que ela estava dizendo, com certeza era uma piada e, a qualquer minuto, Dora ia explodir de dar risada! Mas ela falou com segurança, como se tivesse certeza de que todas as suas palavras eram verdade. De alguma forma, senti que não poderia nem começar a contar essa conversa aos meus pais.

— Gabi, acho que esse jogo de xadrez terá que ficar para a próxima semana — papai disse, interrompendo meus pensamentos. — Coloque o tabuleiro de volta no armário de louças e prepare-se para dormir. Subirei daqui a pouco para lhe dar um beijo de boa noite.

Enquanto eu ia para a sala de jantar com o tabuleiro de xadrez, ouvi minha mãe falar:

— Recebi uma carta da minha irmã da Alemanha hoje.

Mamãe parecia ansiosa, mas falava baixo.

— Ela escreveu que os judeus de Berlim estão proibidos de ter carros e não podem nem usar o bonde mais! Como vão se deslocar, principalmente agora que não podem fazer as compras no mesmo horário que as outras pessoas? O que virá depois?

— Escute — papai disse —, eu sei que as notícias dos jornais não parecem boas. Eu li um artigo há algum tempo dizendo que as sinagogas da Alema-nha foram saqueadas certa noite. Estão chamando de *Kristallnatch*, a Noite dos Cristais. Milhares de judeus foram reunidos, apanharam, foram presos ou foram mandados embora. Mas estamos muito longe de Berlim e desses horrores. Além disso, mesmo se as coisas mudarem aqui, eventos assim não vão nos afetar. Somos bons cidadãos com uma fazenda importante, da qual muitas pessoas dependem. Temos muitos amigos. Você acha que nossos vizinhos nos expulsariam de suas lojas? As pessoas aqui nunca deixariam nada de ruim acontecer conosco. Pare de se preocupar, nada nos acontecerá. E, acima de tudo, não devemos assustar a Gabi com essas histórias.

Com cuidado, recoloquei o tabuleiro de xadrez, tranquei as portas do armário de louças e coloquei a chave de volta na cozinha. Enquanto eu subia a escada devagar para o meu quarto, senti-me confusa porque, pela primeira vez, meus pais estavam me excluindo de uma conversa impor-tante. Se estavam escondendo algumas coisas de mim, algo sério deveria estar acontecendo. Pensei em nosso sabá e nas tradições que nunca muda-vam. De alguma forma, aquela noite de sexta-feira pareceu diferente.

Capítulo 4

Entrei em meu quarto e mergulhei na cama, agarrando a boneca de louça que ficava sobre o meu travesseiro. Nina tinha me dado aquela boneca como presente em um dos meus aniversários. Seu rosto de porcelana era pintado à mão nas cores mais suaves: rosa para os lábios e azul para os olhos, fazendo com que ela parecesse quase real. Seu cabelo negro brilhava na luz e seu vestido de festa feito à mão era bordado com uma linha de seda. Ela era um dos meus bens mais valiosos.

Embalando a boneca em meus braços, pensei na conversa com meus pais. Não fazia sentido, para mim, que coisas ruins pudessem estar acontecendo aos judeus. No entanto, o que eu tinha contado à minha mãe e ao meu pai sobre Martin e o furioso aviso que ele me deu eram apenas o começo. Eu não tinha contado a eles sobre as outras coisas que estavam acontecendo na escola.

No dia anterior mesmo, aconteceu um incidente no pátio da escola. Meu amigo Armin foi parado por alguns garotos, empurrado no chão e recebeu socos tão fortes que havia machucados em seu rosto hoje. O senhor Reich, que tinha saído correndo para ajudar Armin, foi um dos poucos professores que pareceram se importar com essa hostilidade. Quando Dora me disse que eu tinha me saído mal na prova de ortografia porque eu sou judia, foi o senhor Reich que a interrompeu e disse que ela estava falando bobagem. Depois que Martin disse que logo eu não poderia ir à escola, o senhor Reich o fez ficar depois da aula por causa do seu mau comportamento. A maioria dos outros professores não parecia incomodada com a mudança no clima e alguns quase pareciam aprová-la. Eles davam as costas e fingiam que não havia nada de errado. Eu estava confusa e preocupada com tudo isso. O que havia de tão errado, nesses dias, em ser judeu?

Esses pensamentos giravam como um redemoinho em minha cabeça enquanto eu me preparava para dormir. Estava tão ocupada com meus pensamentos que nem ouvi meu pai entrar no quarto.

— Que histórias estão enchendo a sua cabeça agora, Gabi? — ele perguntou quando sentou pesadamente na lateral da minha cama, limpando um fino brilho de suor da sua testa. A respiração dele estava difícil por causa do curto lance de escada. "Quando foi que subir a escada tinha ficado tão difícil para ele?", pensei por um momento.

— Papai — comecei a falar, devagar, tentando ficar calma —, por favor, diga a verdade. Não sou mais um bebê e sei quando as coisas não estão bem. Até Nina está agindo de maneira estranha ultimamente e ela é a minha melhor amiga! Ontem mesmo, ela disse que os pais dela talvez não a deixassem mais brincar na nossa casa. Nada disso faz sentido para mim.

— Gabilinka, acredite, isso não faz sentido para mim também.

Pela primeira vez, vi confusão e tristeza nos olhos do meu pai. Percebi que ele estava mais preocupado com essas mudanças do que deixava transparecer.

— Algumas pessoas gostam de pensar que são mais fortes, mais inteligentes e melhores do que nós — ele disse, com um suspiro. — E elas culpam os judeus por praticamente tudo. Elas nos culpam quando os negócios vão mal, quando outras pessoas não têm comida suficiente, até quando os filhos delas vão mal na escola.

— Mas por que nos culpar, papai? — eu perguntei. — O que isso tem a ver com a gente?

Papai suspirou novamente.

— Não tem absolutamente nada a ver com a gente — ele garantiu. — Mas o nosso povo muitas vezes foi equivocadamente acusado, Gabi. Somos vistos como pessoas diferentes e, quando as coisas vão mal, é mais fácil os outros nos culparem do que olharem sua própria responsabilidade. Também é mais fácil, para o governo, fingir que tudo é culpa de outra pessoa. Neste caso, as autoridades da Alemanha estão transformando os judeus no bode expiatório da pobreza e do desemprego.

— Mas, papai, como as pessoas podem acreditar nisso?

— Você sabe que o povo da Alemanha passou por momentos difíceis — ele me lembrou. — Quando as pessoas estão desesperadas, procuram alguém a quem culpar. E também procuram uma resposta fácil. Algumas pessoas se convenceram de que, se conseguirem se livrar de nós, todos os seus problemas vão desaparecer. Você e eu sabemos que isso é bobagem, mas algumas pessoas acreditam em qualquer coisa que as faça se sentir melhor. São elas que estão nos causando todos esses problemas e, infelizmente, elas estão convencendo outros a acreditarem nessa bobagem também.

Eu entendi o que meu pai estava me dizendo e senti-me adulta por ele falar comigo desse jeito. Porém, isso não ajudou a aliviar minhas preocupações. Devagar, comecei a contar a ele o que tinha acontecido na escola, sobre minha prova de ortografia e Dora e como Armin tinha sido derrubado. Contei a ele que todos os meus amigos judeus estavam sendo provocados e intimidados. Quando pensei em todos esses fatos juntos, parecia que meu mundo todo estava fora de controle.

— Papai, estou assustada — eu disse, suavemente, e as lágrimas formaram-se em meus olhos e escorreram pelo meu rosto. Eu estava com medo, com medo do que estava acontecendo com meus amigos e com nossa família na Alemanha. Estava com medo que coisas horríveis pudessem logo mais acontecer conosco. Eu chorei e chorei, deixando meus temores jorrarem de dentro de mim.

— Gabi, ouça com atenção — meu pai disse com firmeza, tomando meu rosto cheio de lágrimas em suas mãos. — Há uma coisa de que você sempre deve se lembrar. Sua mãe e eu a amamos muito, estamos aqui para protegê-la e mantê-la em segurança.

Eu o abracei o mais forte que pude.

— Lembra-se de quando você caiu da sua bicicleta e foi quase atropelada por aquele carro? — ele perguntou. — Lembra-se de como eu corri para frente do carro, balançando os braços como um moinho e gritando para que o motorista parasse?

Pela primeira vez desde que tinha me deitado em minha cama, eu dei risada.

— Eu estava com tanto medo de que você fosse atropelado que quase esqueci que não conseguia mexer minha perna! — eu disse. — Mamãe achou que nós dois iríamos parar no hospital.

— Bem, o motorista parou e, exceto pelo seu tornozelo torcido, nada de grave aconteceu. E eu acredito que, desde que sejamos corajosos e fortes, ficaremos seguros agora.

— Papai, mas e se algo ruim começar a acontecer comigo? E se alguém tentar me atacar? O que eu faço? — eu perguntei.

— Gabi, iremos lutar até o último suspiro para garantir que nada de ruim aconteça a você.

Papai falava com tanta certeza que, pela primeira vez desde que tinha subido para o meu quarto, eu respirei com tranquilidade. Eu o abracei novamente.

— Eu aprendi uma nova peça de piano esta semana, papai. Quero tocar para você de manhã.

— Durma bem, minha Gabilinka.

Meu pai me segurou apertado e sussurrou em minha orelha as palavras que eram minha canção de ninar:

Vou protegê-la do mal,
Você não deve sentir temor,
Você estará segura, minha criança preciosa,
Você estará segura, meu amor.

Lá, nos braços do meu pai, eu acreditei que tudo ficaria bem. Eu sabia que meu papai me amava e tive esperança de que sempre estaria segura, não importava o que acontecesse.

Capítulo 5

Outubro de 1940

É difícil dizer exatamente quando eu soube que as coisas não iam melhorar. Nos meses seguintes, fingi que nada importante estava mudando. Porém, lá no fundo, eu sabia que estava mentindo para mim mesma. Tudo estava mudando.

Na escola, vi mais e mais casos de amigos judeus sendo provocados. Às vezes, eu tentava ajudar se um de meus amigos estivesse sendo perseguido, no entanto, era perigoso, eles eram muitos e nós éramos poucos. Era melhor apenas passar andando de cabeça baixa e torcer para não ser o próximo alvo.

Também estava ficando cada vez mais difícil conversar com algumas das crianças. Quando contei a Dora que meus amigos estavam sendo provocados, ela disse que eles deviam ter feito algo para merecer isso. Quando mostrei a Nettie o vidro quebrado da janela do lado de fora da padaria do senhor Springer, ela negou que o fato de ele ser judeu tivesse algo a ver com aquilo. Até Nina estava começando a se afastar de mim.

Quando estávamos somente nós duas, nada era diferente. Nós dávamos risada, andávamos de mãos dadas e compartilhávamos histórias como sempre. Porém, comecei a perceber que, sempre que o irmão de Nina aparecia, ela ficava retraída e distante. Se os pais dela estivessem por perto, ela simplesmente me evitava. Certa manhã, enquanto eu corria para me aprontar para a escola, olhei pela janela e vi Nina e seu irmão passando com pressa pela nossa calçada. Durante anos, Nina parava e esperava por mim lá. No entanto, naquela manhã, quando ela começou a diminuir a velocidade em frente à minha casa, seu irmão a puxou pelo braço e ela não parou. Depois da aula, ela saiu correndo pela porta para voltar para casa com outra pessoa. Eu sabia que nossa amizade estava em perigo, mas não podia acreditar que ela fosse agir daquele jeito.

Um dia, fui bem direta e a confrontei. Primeiro, ela negou que houvesse algo de errado, mas, por fim, confessou que seus pais estavam ficando cada vez mais nervosos com a nossa amizade. Eles tinham lido os artigos nos jornais sobre as restrições contra os judeus em outros países. Eles sabiam sobre as surras na cidade e sobre os ataques noturnos a judeus donos de lojas. Eles estavam preocupados que a amizade da filha deles com uma garota judia pudesse lhes causar problemas.

— Não é que eu queira deixar de ser sua amiga, é só que meus pais acham que talvez fosse melhor se nós não nos encontrássemos tanto.

Nina não conseguia olhar direito nos meus olhos enquanto se esforçava para explicar a situação.

— Meu irmão é o pior de todos — ela continuou. — Ele está andando com um grupo de garotos que acham que os ataques a judeus são exatamente do que o país precisa. Estão falando em entrar para o exército para poderem usar uniformes e carregar armas. Assim, eles serão realmente perigosos.

Eu estava tão espantada que não consegui responder.

— Gabi — Nina acrescentou, segurando minha mão —, estou tão confusa, não sei o que fazer. Mas, agora, não posso ir contra os meus pais. Talvez tudo isso acabe logo e as coisas voltem ao que eram antes.

O que ela disse não parecia nada convincente.

Depois, algo muito perturbador aconteceu na escola. O senhor Reich desapareceu misteriosamente. Chegamos como sempre naquela manhã, entramos na sala e nos sentamos, esperando que ele chegasse. Estávamos imaginando por que ele estava atrasado quando, de repente, um homem estranho entrou na sala. Ele andou com um passo rígido e esquisito até a frente da sala e virou-se para nos olhar.

— Classe, o antigo professor de vocês não vai voltar. A partir de hoje, eu serei o seu instrutor. Meu nome é senhor Cherny. Vocês devem ficar em pé para falar comigo.

O senhor Cherny era alto e parecia severo, não era nada como o senhor Reich. Ele tinha uma mania de pontuar suas frases com uma fungada irritante e esfregava constantemente o nariz. Ele nunca olhava diretamente para nós, mas, em vez disso, curvava-se sobre a sua mesa para fazer a chamada e nos passar tarefas. Ele não parecia querer estar lá, assim como nós não o queríamos lá! Quanto a mim, eu estava chocada, esse novo professor nem tinha nos explicado para onde o senhor Reich tinha ido. Por que o senhor Cherny evitava contato visual, como se soubesse alguma coisa que não queria nos contar?

Ninguém disse uma palavra enquanto pegávamos nossos livros e começávamos a trabalhar. Lá pela metade da tarde, finalmente reuni coragem para fazer a pergunta que todos tinham na cabeça. Com cuidado, ergui a minha mão e me levantei quando o senhor Cherny apontou para mim.

— Com licença, senhor Cherny — eu disse, olhando um pouco para baixo. — O senhor poderia nos dizer onde o senhor Reich está?

Ele franziu as sobrancelhas.

— Por que você está perguntando isso para mim? Não sei mais do que vocês sobre isso. Disseram-me para me apresentar para a classe e eu faço o que me dizem para fazer. Não é minha culpa ele ter ido embora, muitas pessoas como o senhor Reich foram embora. Vocês não notaram?

O senhor Cherny coçou o nariz furiosamente com um grande lenço enquanto eu me sentava e escondia meu rosto, que estava vermelho, no meu livro de geografia.

Eu estava mais confusa do que nunca. O que ele quis dizer com "pessoas como o senhor Reich"? O que havia de tão diferente no senhor Reich? Foi aí que, pela primeira vez, veio na minha cabeça a ideia de que o senhor Reich era judeu. Ele tinha sido mandado embora por causa disso? Se ele havia sido mandado embora porque era judeu, outros seriam mandados também? Minha família seria mandada embora?

Naquele dia, voltei da escola para casa sozinha. Nina tinha saído correndo outra vez sem mim e eu não estava com vontade de ser acompanhada pelos meus outros amigos. Eu precisava pensar de novo sobre o que estava acontecendo e por quê. Quando cheguei à minha casa, papai estava sentado na cozinha, tomando chá sozinho. Eu afundei em uma cadeira ao lado dele, abaixei a cabeça e despejei a história do desaparecimento do senhor Reich.

— Não faço ideia de para onde ele foi, papai. Não sei se ele se foi para sempre ou se ele vai voltar. O outro professor mostrou-se um pouco constrangido com tudo isso, mas pareceu também não saber nada sobre onde o senhor Reich está. O que vai acontecer depois?

Olhei para cima, para o rosto de papai, procurando por respostas que ninguém aparentava ter. Papai parecia pálido e cansado.

— Papai, você está bem? — percebi, de repente, que estávamos na metade da tarde. Ele nunca estava em casa nesse horário. — Aconteceu alguma coisa? Onde está a mamãe?

— Mamãe está bem, Gabi. Ela foi buscar um remédio para mim. Não é nada grave, só aquela dor de sempre aqui — ele disse, apontando para o peito.

O rosto dele se contorceu um pouco e depois relaxou, quando o espasmo passou.

— Gabi, faça um pouco mais de chá para mim, por favor — ele sussurrou, tirando os óculos e esfregando os olhos devagar. — Estou bem, Gabilinka — ele insistiu quando levantou o olhar e viu a preocupação em meu rosto —, de verdade, estou bem — ele repetiu, com mais firmeza.

Levantei-me da mesa, coloquei a chaleira no fogão, joguei fora o que tinha no bule e coloquei chá fresco. Não era a primeira vez que papai precisava de remédio para a dor no peito. Eu sabia havia algum tempo que ele não estava bem, mas, como muitas outras coisas, eu tentava fingir que a doença dele não era grave. Talvez eu estivesse ignorando o que estava acontecendo bem na minha frente. Papai parecia mais cansado naquela época. À noite, ele pegava no sono em sua grande poltrona assim que o jantar acabava. Mamãe precisava acordá-lo e ajudá-lo a subir as escadas até o quarto. E, nos últimos tempos, quando papai e eu saíamos para caminhar juntos, ele precisava parar e descansar. Muitas vezes, ele pegava um comprimido no bolso para diminuir a dor no seu peito.

A porta rangeu atrás de mim, eu olhei para cima e vi mamãe chegando com um pacote nas mãos. Ela me beijou suavemente na testa antes de se aproximar de papai e colocar um vidro de comprimidos diante dele. Eu coloquei água quente no bule de chá e o trouxe para o papai com uma caneca. Cansado, ele serviu o chá e pegou o remédio.

— Vou me deitar por alguns minutos. Avisem-me quando o jantar estiver pronto.

Ele levantou-se devagar da mesa e nos deu um sorriso tranquilizador.

— Tenho sorte de ter uma família que cuida tão bem de mim — ele disse, enquanto saía da cozinha.

Mamãe deu um profundo suspiro depois que ele saiu.

— Vamos, Gabi, comece a descascar as batatas para o jantar.

Havia tanta coisa que eu queria contar a ela sobre meu dia na escola. Eu precisava contar sobre a saída do senhor Reich e o professor que ia assumir o lugar dele, precisava contar a reação da Nina a todos os problemas, precisava de ajuda para entender o que estava acontecendo à minha volta e precisava conversar sobre o papai e a doença dele. No entanto, eu sabia que aquele não era o momento certo. Mamãe parecia muito preocupada para que eu a incomodasse. Por ora, eu teria de guardar meus pensamentos para mim mesma e resolver tudo sozinha.

Capítulo 6
Abril de 1941

Seis meses depois, meu papai morreu. Senti que meu mundo tinha desmoronado. Embora eu soubesse que ele não estava bem, eu estava completamente despreparada para a morte dele. Com certeza ele não podia estar tão doente assim. E, mesmo assim, nos meses após o desaparecimento do senhor Reich, vi papai ficar cada vez mais fraco.

Com o tempo, em vez de esperar todos os dias ao lado da porta que ele voltasse do trabalho, eu voltava da escola e corria para o quarto dele, onde ele passava a maior parte do tempo. Ele tinha uma aparência bastante pálida e doente deitado na cama.

— Papai, por favor, tente se levantar hoje — eu implorava, ajoelhada ao lado da cama e segurando a mão dele. — Talvez pudéssemos jogar uma partida de xadrez. Sei que posso ganhar de você, com certeza. Abra os olhos e saia da cama.

Minha mãe sussurrava, pedindo que eu ficasse quieta.

— Não está vendo que o papai está descansando? Saia, Gabi, e não canse o seu pai.

Histórias e felicidade não enchiam mais cada cômodo da casa. Conforme papai foi ficando mais doente, nossa casa foi ficando mais quieta. Porém, eu não podia acreditar que fosse grave, não me deixava acreditar. Não quando tantas outras coisas estavam erradas na minha vida. Papai *tinha* que melhorar.

Então, no meio de uma noite, minha mãe chamou o médico e eu sabia que a situação devia estar muito ruim. Ainda assim, fingi que nada estava acontecendo. Escondi-me em meu quarto e segurei firmemente o travesseiro sobre minha cabeça quando ouvi o choro da minha mãe atravessar a porta do meu quarto. Passaram-se horas e, depois, mamãe entrou em meu quarto para contar que papai tinha morrido. Tentei não acreditar nela, mas eu sabia que era verdade.

Nós nos abraçamos a noite toda e eu chorei até sentir que tinha derramado todas as lágrimas do meu corpo. De manhã, nossa casa ficou cheia de familiares e amigos, consolando minha mãe e eu, cozinhando e ajudando a preparar o funeral. Tias, vizinhos e amigos, todos tentaram me fazer comer.

— Gabi... vamos, querida, você tem que comer um pouco.

— Gabi, você vai ficar doente se não comer alguma coisa.

— Gabi, só algumas mordidas, para não perder sua força.

— Me deixem em paz! — eu gritei — Não sou um bebê! Saiam da minha frente!

Eu saí correndo da casa e fui para o celeiro, onde sentei sozinha no palheiro. Estava brava, porque papai tinha morrido, triste e preocupada. Como íamos cuidar da fazenda sem o papai para cuidar das coisas. O que iria acontecer conosco sem ele? Não era justo ele ter morrido e eu não conseguia imaginar as nossas vidas sem a presença forte e carinhosa dele.

— Eu sinto tanto a falta dele — falei chorando para minha mãe em uma sexta-feira à noite.

Eu estava preparando a mesa para o sabá e, quando ajoelhei em frente ao armário de louças para tirar os pratos, vi o tabuleiro de xadrez. Ele permanecia intocado no fundo do armário, uma lembrança de como tudo tinha mudado. Não apenas o papai tinha morrido, mas parecia que tudo na minha casa e na vila estava mudando também.

Nos últimos tempos, éramos apenas mamãe e eu nas sextas-feiras à noite. Minhas tias, tios e primos não podiam mais nos visitar porque os judeus estavam proibidos de ficar na rua à noite depois de certo horário. Nossas noites de sabá juntas eram silenciosas, pois tínhamos pouco a dizer uma para a outra. Normalmente, sentávamos em silêncio, cada uma pensando em sua própria tristeza. Eu observava mamãe cuidadosamente nesses momentos. Ela estava tão preocupada quanto eu?

Logo, mais eventos perturbadores começaram a acontecer na nossa vila. Já tínhamos visto nos jornais e escutado no rádio que a Tchecoslováquia havia sido dividida e partes do país, a oeste, estavam agora sob o domínio nazista. Embora a nossa área ainda fosse independente, o comportamento das pessoas diante de judeus e as regras contra eles haviam se espalhado pelo país. Certo dia, um aviso apareceu na cidade dizendo que todos os negócios de propriedade de judeus seriam administrados por "supervisores nacionais". Os judeus podiam ficar e trabalhar, mas não podiam mais assinar documentos legais ou controlar o dinheiro. Alguns desses supervisores adoravam suas novas posições de poder e desrespeitavam, ou até ridicularizavam, os antigos proprietários. Tínhamos sorte, o supervisor que apareceu à nossa porta certa manhã era um homem decente. Parecia desconfortável em sua posição de autoridade, como se não aprovasse necessariamente o que o governo estava fazendo. Mesmo assim, para mamãe, parecia que a fazenda que ela e papai tinham trabalhado tanto para construir estava escapando de suas mãos.

Para piorar a situação, os empregados de nossa fazenda começaram a ir embora. Alguns se despediam e se desculpavam, entre lágrimas, pelas leis que agora os proibiam de trabalhar para judeus. Outros simplesmente paravam de ir trabalhar. Minha mãe fez o melhor que pôde para continuar administrando a fazenda e a nossa casa e eu ajudei o máximo que pude. Porém, estava ficando impossível fazermos tudo.

Além disso, alguns donos de lojas estavam começando a se recusar a vender para judeus. Embora ainda pudéssemos fazer compras nas lojas de nossos amigos judeus, eles estavam tendo dificuldades para manter as prateleiras abastecidas. Alimentos e outros produtos estavam sendo enviados para o exército e, assim, estavam em falta para os civis. Café e chá desapareceram completamente. Fazíamos uma espécie de chá fervendo folhas de tílias, que cresciam em nossa propriedade. Não tinha o mesmo cheiro do chá que conhecíamos, mas era quente e bastante bom. Carne, leite e vegetais ainda existiam em abundância em nossa fazenda, mas farinha, açúcar e outros itens necessários eram cada vez mais difíceis de conseguir.

Nessa época, eu estava frequentando uma escola apenas para crianças judias. Eu não me importava muito com a escola porque conhecia a maioria dos alunos e muitos dos professores. Minha amiga Marishka estava lá, assim como Nettie, Ruthie e outros. Até o senhor Reich era professor nessa escola e era ótimo estar novamente com ele. Ainda assim, eu sentia falta dos meus antigos amigos. Às vezes, eu via Nina caminhando para nossa antiga escola ou fazendo compras com seus amigos. Se nossos olhos por acaso se encontravam, ou se eu acenava para ela, ela virava para o outro lado rapidamente, como se tivesse sido pega fazendo algo terrível.

Como isso podia ter acontecido? Em um momento, éramos como irmãs e compartilhávamos nossos segredos mais importantes. No momento seguinte, parecia que nem nos conhecíamos. Às vezes, eu sentia que a odiava por ter me abandonado, mas, então, eu sentia pena dela. Ela também deveria estar assustada nessa época. Ser pega sendo amável com um judeu era perigoso. A casa dela poderia ser invadida ou alguém da família poderia ser atacado.

As caminhadas de ida e volta da escola não eram mais cheias de prazer e diversão. Meus amigos e eu andávamos em passos rápidos com as cabeças baixas. Tínhamos cuidado para evitar os provocadores, que adoravam discriminar as crianças judias, ou pior, as novas unidades de soldados que tinham começado a aparecer na cidade. Eles eram membros do Partido Popular Eslovaco, uma versão eslovaca do Partido Nazista, que estava no poder na Alemanha. Eles vestiam grossos uniformes e altas botas pretos e carregavam rifles nos ombros. Tinham expressões duras e hostis. Alguns dos mais jovens eram irmãos de crianças da minha antiga escola, mas não fazia diferença conhecê-los ou não. Se alguém fosse pego por um desses homens, podia apanhar ou ser preso.

Um dia, quando eu estava a caminho da escola, Nina colocou um bilhete no meu bolso. Finalmente, pensei, ela está tentando fazer contato comigo. Eu estava errada, o bilhete dizia: "Não fale comigo de novo. Desculpe, mas não posso ser sua amiga!"

Parecia que tudo na minha vida estava escorregando das minhas mãos. Primeiro, papai havia morrido, depois, todas aquelas leis horríveis contra os judeus tinham sido aprovadas e, agora, meus amigos estavam me abandonando.

Recebi esse bilhete de Nina no mesmo dia em que chegaram cartas dizendo que tínhamos de usar uma estrela amarela nas nossas roupas, para que todos pudessem ver que éramos judeus. Primeiro, disse à minha mãe que eu nunca iria obedecer àquela lei. Eu lutaria contra qualquer um que ousasse me dizer o que vestir. Porém, como aconteceu com todo o resto, acabei cedendo. Eu acho que tentamos nos convencer de que, talvez se fizéssemos apenas isso, nada mais aconteceria. Observei minha mãe costurar uma estrela amarela em todos os meus vestidos, blusas, malhas e casacos.

— É um momento horrível para todos nós — ela disse. — Tenho certeza de que não precisaremos fazer isso por muito tempo. Mas, por ora, devemos fazer o que mandam.

Sua expressão triste ajudou muito pouco a acalmar meus medos.

Se pelo menos o papai estivesse aqui, eu pensei. Tinha certeza de que ele teria melhorado a situação. Papai teria dito que tudo ficaria bem desde que ficássemos juntos. Bem, não estávamos mais juntos. Eu sabia que ainda tinha de ser corajosa e forte, mas era difícil com tantas coisas ruins acontecendo. Nossa vila simplesmente não era a mesma, e eu não me sentia a mesma lá, sentia-me como uma forasteira, uma rejeitada. Mal podíamos sair de casa, a não ser para ir à escola e, além disso, se saíssemos, não haveria aonde ir. Lojas e até vizinhos nos mandavam embora. Isso lembrava algo que papai tinha dito naquela vez que pensou que eu não estava ouvindo. Ele disse à mamãe que nossos vizinhos nunca nos virariam as costas. Bem, ele estava errado.

Às vezes, à noite, eu deitava na cama e chorava baixinho no meu travesseiro, para que mamãe não escutasse. Eu pensava no papai nesses momentos e no que ele diria para me consolar.

— Gabilinka, não tenha medo. Cuide de sua mãe e, lembre-se, estou cuidando de você.

Lembrar-me de papai era como tê-lo perto, fazia com que eu me sentisse melhor. Se eu continuasse pensando nele e me lembrando dele, teria coragem para enfrentar qualquer coisa.

Capítulo 7

Janeiro de 1942

Nos meses seguintes à morte de papai, mamãe e eu voltamos lentamente à nossa rotina. Primeiro, quando voltei à escola, minhas amigas foram legais demais comigo. Sentavam-se comigo no almoço e nós sempre fazíamos o que eu queria fazer. Os professores me deram pouca lição de casa. Até os meninos estavam estranhamente gentis.

No meu segundo dia de volta, um dos meninos da minha sala ofereceu-se para carregar meus livros da escola até minha casa. O nome dele era Jeremy e, por algum tempo, eu tinha gostado dele em segredo. Enquanto caminhávamos para casa juntos, ele me contou histórias engraçadas do senhor Reich e do que ele tinha feito ou dito na sala durante a semana que fiquei fora. As histórias me fizeram rir alto. No dia seguinte, na escola, Jeremy ficava olhando na minha direção e sorrindo tanto que o senhor Reich, por fim, teve que perguntar a ele por que ele parecia tão feliz. Meu rosto ficou vermelho de vergonha quando todo mundo riu.

Além da atenção de Jeremy, Marishka trouxe doces para mim, que a mãe dela tinha feito. Não imaginava como ela tinha encontrado os ingredientes para fazer alguns dos meus doces favoritos. Porém, todo dia, durante semanas, Marishka trouxe algo especial para mim: um bolinho, um biscoito e, um dia, um pedaço de chocolate. Talvez ela pensasse que fossem, de alguma forma, preencher o vazio no meu coração.

No começo, senti-me esquisita e constrangida com tanta atenção, mas lembrei-me de que tinha feito a mesma coisa quando a avó de Marishka morreu. Eu não sabia dizer a Marishka o quanto eu estava triste por ela ter perdido a avó, por isso, trouxe para ela coisas de casa que pensei que pudessem fazê-la se sentir melhor: uma flor, papéis para anotação, uma faixa para o cabelo.

No final, eu estava agradecida a todos pela preocupação e consideração. Realmente me ajudava muito ter meus amigos cuidando de mim, porém, algumas vezes eu pensava se Nina sabia que papai tinha morrido. Nossa vila era tão pequena que a notícia da morte de qualquer pessoa espalhava-se rapidamente. Quando éramos melhores amigas, Nina e eu sempre contávamos uma com a outra se algo dava errado. Nesses dias, pensava se ela sequer se importava com o que estava acontecendo comigo e com os outros. Tentei parar de pensar em Nina. Até onde eu sabia, ela estava fora da minha vida, não ajudava em nada pensar nela. Eu tinha que seguir em frente e isso significava concentrar-me na escola, nos meus amigos e na minha casa.

As notícias da guerra chegavam rápida e furiosamente nesses dias. E, na maior parte do tempo, eram desencorajadoras. País atrás de país caía diante do avanço dos soldados alemães. Homens e garotos da nossa vila e das cidades vizinhas tinham partido para se unirem a eles, deixando as mulheres para cuidarem dos negócios. Mobilizações que proclamavam as conquistas da Alemanha eram realizadas nas cidades maiores. Quando uma dessas demonstrações acontecia, tínhamos o cuidado de ficar em casa. Os moradores locais, inflados por uma sensação de vitória, vinham ainda mais rápido atrás dos judeus.

No último domingo de cada mês, mamãe e eu limpávamos o armário de louças. Cada prato, copo e peça de prata era tirado com cuidado do armário, limpo, polido e carinhosamente recolocado. Minha mãe segurava cada objeto com o mesmo amor dado a um recém-nascido. Quando o armário estava vazio, nós o limpávamos por dentro e por fora. Esfregávamos e políamos as portas e as prateleiras até ganharem um brilho intenso e avermelhado.

Nós duas sabíamos que era bobagem gastar tanto tempo a cada semana limpando coisas que quase nunca usávamos, mas nos sentíamos bem fazendo isso, nos lembrava de momentos mais felizes. Estávamos lá certo domingo, limpando o armário, quando ouvimos a campainha.

— Gabi, olhe quem é antes de abrir a porta — mamãe me alertou.

Corri para a janela da frente e olhei para fora. Naquela época, as ruas estavam sempre calmas. A gasolina era rigorosamente racionada e carros e caminhões quase nunca eram usados, exceto em emergências.

— É a mãe da Marishka, mamãe. Talvez ela tenha outro bolo para nós.

No entanto, quando abri a porta, vi que não havia bolo nenhum. A mãe de Marishka parecia ansiosa e ficava olhando para trás, sobre o ombro, como se pensasse que alguém poderia estar seguindo-a.

— Gabi, preciso falar com a sua mãe — ela disse, com urgência.

— Entre, entre — minha mãe disse, aparecendo ao meu lado. — Gabi, faça um pouco de chá para nós.

— Não, nada de chá — a mãe de Marishka disse. — Tenho muito pouco tempo, precisamos conversar.

Nós nos acomodamos juntas na sala de estar enquanto a nossa visita desamarrava seu xale. Seu rosto estava corado e cansado. Levou alguns minutos até que ela pudesse começar a falar.

— Há novos rumores — ela disse. — Nada certo ainda, mas recebi um bilhete de minha irmã. Você se lembra, aquela que mora em Levoca. Ela conseguiu me enviar uma mensagem por uma amiga que estava viajando para este lado. Parece que, em Levoca, houve invasões feitas por soldados. As pessoas estão sendo colocadas em caminhões e levadas embora.

— Invasões! — eu gritei.

Não tinha acontecido nada assim na nossa vila. Algumas casas haviam sido saqueadas e móveis e outros pertences, destruídos. Algumas pessoas tinham apanhado na rua porque estavam desafiando as leis, quebrando o toque de recolher, viajando sem permissão ou usando as estrelas sem destaque suficiente, mas eu nunca tinha ficado sabendo de ninguém que foi levado embora.

— O que você quer dizer com "levadas embora"? Levadas para onde? E quem foi levado?

A mãe de Marishka olhou na minha direção e, depois, de novo para mamãe.

— Não sei se Gabi deveria ouvir isso. Marishka fica tão assustada que parei de contar as coisas a ela.

— Gabi pode escutar — minha mãe respondeu, de maneira severa. — Somos somente nós duas agora, não vou esconder nada dela.

— Tudo bem — a mãe de Marishka concordou, mas claramente não estava convencida. — Minha irmã escreveu que, primeiramente, os rapazes foram levados, aqueles que não seguiam as leis definidas pelo governo. Depois, os judeus mais pobres foram levados e as pessoas idosas e — ela parou — as meninas, da idade de Gabi e Marishka e mais velhas. As meninas foram tiradas de suas famílias, arrebanhadas para dentro de caminhões e levadas para fora da cidade.

— Deus nos ajude! — minha mãe gritou. — Para onde as levaram e o que querem com meninas?

— Dizem que é para trabalhar. As meninas são fortes e precisam delas em fábricas. Dizem que vão voltar em algumas semanas, mas não sabemos para onde elas foram.

A voz dela foi morrendo e nós três ficamos sentadas em silêncio. Meus pensamentos estavam em alta velocidade. Eu conhecia algumas meninas da minha idade em Levoca. Elas tinham sido arrancadas de suas casas? E eu e minhas amigas? Também estávamos em perigo? Levoca não era tão longe assim. Uma coisa era usar estrelas e mudar de escola, mas a ideia de ser forçada a deixar minha casa era demais para mim. Quase não reparei que a mãe de Marishka se levantou e caminhou para a porta.

— É melhor eu ir agora. Fiquei fora por muito tempo e minha família ficará preocupada. Deus abençoe as duas. Fiquem bem e continuem fortes.

Mamãe fechou a porta depois que ela saiu e, olhando pela janela, vimos que ela seguiu rapidamente pela rua.

Eu estava atordoada, pensamentos confusos giravam em minha cabeça. Mamãe parecia exausta quando ela virou para olhar para mim.

— Gabi, é hora de fazermos planos para a sua segurança — ela começou a dizer.

— Mamãe, não é só com a minha segurança que devemos nos preocupar. É com a *nossa* segurança.

— Sim, mas você ouviu a mãe de Marishka. Sei que você não vai querer ouvir isso, mas estive pensando. Você se lembra da família Kos, que trabalhava na nossa fazenda? Eles vivem nas montanhas agora. São cristãos, mas são boas pessoas. Quando pararam de trabalhar aqui, eles disseram que, se houvesse algo em que pudessem ajudar, bastava pedirmos. Eles gostavam muito do seu pai e não estão com medo do que possa acontecer a eles se ajudarem judeus. Acho que você deveria ficar com eles, você ficará mais segura lá.

— Ir embora? Mamãe, como você pode pensar em uma coisa dessas? — eu estava tão horrorizada que mal podia falar.

— Não olhe para mim desse jeito, Gabi. Será por pouco tempo, até que esses problemas todos passem.

— Mamãe, eu não vou! — eu gritei. — Por favor, por favor, não me mande embora! Como eu poderia deixá-la? Como você pode pensar em nos separar?

Minha mãe virou o rosto para não precisar ver as lágrimas que escorriam pelas minhas bochechas. Tudo em que eu conseguia pensar era o que papai tinha dito para mim à noite: estaremos seguros desde que fiquemos juntos. Como eu poderia ser corajosa e forte se papai tinha me deixado e, agora, mamãe ameaçava fazer o mesmo? Não! Sob nenhuma circunstância eu iria partir sem a minha mãe.

— Não sei o que mais fazer para mantê-la em segurança, Gabilinka — mamãe sussurrou. — Se os soldados vierem procurar por você, aqui não tem onde você se esconder.

— Estou mais segura com você, mamãe, tenho certeza. E há muitos lugares onde eu posso me esconder nesta casa — eu disse, olhando desesperadamente ao meu redor. — Posso me esconder em um armário ou no porão ou até mesmo no armário de louças.

— O armário de louças? — ela parecia incerta.

— Claro. Quer esconderijo melhor? Poderíamos tirar a prateleira do meio para abrir espaço para mim. Tem até uma fechadura, ninguém nunca vai pensar em procurar ali.

Eu sabia que era uma tentativa fraca, mas eu precisava ter um plano. Eu tinha certeza que estaria mais segura escondida no armário de louças, além disso, não podia acreditar que um dia precisaria disso. Não aqui, não na nossa casa.

— O armário de louças — ela disse novamente. — Teríamos de tirar tudo de lá e guardar com cuidado em outro lugar, para que você possa caber ali.

— Claro — eu respondi, abraçando-a. Eu sabia que tinha vencido. Tinha certeza de que nunca precisaria me esconder no armário. O importante era que eu não seria mandada embora, ficaria lá com a mamãe. — Vamos tirar tudo, vamos deixá-lo pronto, mas prometa que não vai me mandar embora.

Minha mãe devolveu meu abraço, bem forte.

— Tudo bem, Gabilinka, você ganhou. Você pode ficar aqui, mas vou preparar o armário, caso precisemos dele. E reze para que ele a mantenha em segurança.

Capítulo 8

Abril de 1942

Passaram-se vários meses e parecemos esquecer a conversa com a mãe de Marishka. Eu estava muito ocupada pensando em outras coisas. Primeiramente, eu precisava me concentrar na escola, depois, todos os dias após as aulas, eu tinha de ir direto para casa para ajudar mamãe na fazenda. Alimentar as vacas e limpar e varrer o celeiro eram minhas responsabilidades. Todo o meu tempo livre era tomado por esses afazeres. Eu entendia o quanto era importante garantir que as vacas continuassem recebendo cuidados. Por enquanto, ainda conseguíamos dinheiro vendendo leite para a fábrica de laticínios *kosher*, onde tudo era preparado sob o olhar observador do rabino e de acordo com rígidas leis religiosas. No entanto, não sabíamos quanto tempo isso ia durar.

Os campos estavam abandonados, era impossível nós duas administrarmos toda a terra sozinhas. Entretanto, mamãe mantinha um pequeno jardim que nos dava vegetais frescos. Todas as noites, eu caía na cama exausta. Pareciam se passar apenas alguns minutos até que mamãe me sacudisse para me acordar na manhã seguinte, quando tudo começava outra vez.

Um dia, enquanto eu ajudava mamãe a limpar a casa, ouvimos uma batida leve na porta dos fundos. Corri para atender e olhei antes pela janela para ver quem era. Um homem e uma mulher estavam encolhidos, um junto ao outro, com duas crianças pequenas ao lado. O homem olhava nervoso sobre seu ombro enquanto a mulher batia na porta. Eu abri a porta, pensando, a princípio, que fossem andarilhos. Ciganos muitas vezes viajavam pela região, vendendo utensílios domésticos, retalhos de tecidos e até remédios caseiros de ervas. Em outras épocas, nós costumávamos dar comida a eles e também comprávamos seus produtos. Porém, assim que a porta estava aberta, percebi que eles não eram ciganos. Estavam mal vestidos e pareciam não dormir havia dias.

— Vimos a *mezuzah* na sua porta — o homem tinha a voz suave e apontou para o emblema religioso preso no batente da nossa porta. Ele falava eslovaco entremeado com palavras em polonês que eu tinha de me esforçar para entender. — Também somos judeus. Você nos daria algo para comer? Estamos viajando há muito tempo e as crianças estão com tanta fome.

Ele olhou para baixo. O menino e a menina, ao lado dele, tinham os olhos cansados e arregalados de esperança.

Mamãe apareceu ao meu lado e rapidamente guiou aquela família para a cozinha e os fez se sentarem. Enquanto compartilhávamos com eles a pouca comida que tínhamos, a sua história foi revelada. Eles tinham vindo da Polônia, escondendo-se em celeiros durante o dia e viajando durante a noite pelas florestas. Estavam indo para o oeste, para a Ucrânia, onde viviam outros membros da família.

— Como estão as coisas na Polônia? — mamãe perguntou. Ela tinha primos lá e não recebia cartas deles havia muitos meses.

— Não vão bem — o homem respondeu, com a boca cheia de pão e queijo. — Os judeus que restaram estão sendo levados para guetos, partes da cidade restritas para judeus. Há pouca comida lá e as condições são terríveis. As pessoas vivem como prisioneiros em suas próprias cidades.

"Os nazistas estão em toda parte. Não é possível escapar deles. Todos os dias, aparecem caminhões nas ruas. Os soldados vão de casa em casa, reunindo famílias de judeus e levando-as para estações de trem. É impossível resistir e, o que é pior, a população local fica nas calçadas, observa e não faz nada. Alguns até gritam palavras de incentivo para os nazistas."

— Para onde os trens os levam? — eu perguntei.

O homem olhou para sua esposa antes de responder:

— Disseram para nós que eles estão sendo realocados em outras partes do país, onde poderão comprar novas casas, mas sabemos que não é verdade. Alguns estão indo para campos de trabalho, se tiverem sorte. Porém, também há histórias de judeus que vão parar em outros campos, onde são simplesmente assassinados. Tivemos sorte de conseguir fugir. Vocês fariam bem em partir também. Quem sabe quanto tempo vai demorar para acontecer o mesmo aqui?

Ficou um silêncio no ar. A família terminou de comer rapidamente e, conforme escureceu, seguiu seu caminho. Antes de saírem, mamãe colocou alguns vegetais frescos e pãezinhos na mochila da mulher.

— Para as crianças — ela sussurrou, enquanto a estranha a abraçava.

Por dias, pensei naquela família e no aviso ameaçador do homem. A mãe da Marishka já tinha nos falado de fábricas e campos de trabalho. A ideia me enchia de medo, mas também de incredulidade. Com certeza as pessoas não estavam sendo mandadas embora para morrerem! Mamãe não disse nada para mim depois da visita da família e eu não tinha coragem de perguntar nada.

Marishka e eu caminhávamos juntas até a escola todo dia. De alguma forma, parecia mais seguro ir com uma amiga. Certa manhã, mais ou menos uma semana depois de aquela família ter passado em nossa casa, estávamos a caminho da escola como sempre. Para passar o tempo, tínhamos um jogo. Fingíamos que estávamos nos mudando para outro país e só podíamos levar dez dos nossos pertences todos. Eu disse que levaria minha boneca, é claro, assim como meu álbum com as fotos de todos os nossos parentes.

Marishka disse que nunca deixaria para trás o seu medalhão e o ursinho de pelúcia que tinha ganhado quando criança. Um dos olhos dele tinha caído e a mãe dela tinha remendado o urso em vários lugares ao longo dos anos, mas era uma lembrança querida.

Nossa conversa parou abruptamente quando chegamos à escola e percebemos que algo estava errado. O portão, que costumava ficar completamente aberto, estava fechado. Uma grande corrente de metal com um pesado cadeado estava presa ao redor da cerca. Do lado de dentro, o parquinho e o prédio estavam desertos, não havia professores à vista.

Marishka e eu nos aproximamos do portão com cuidado. Muitos dos nossos amigos já estavam lá, reunidos em torno de uma grande placa pendurada sobre a cerca. Nós nos juntamos aos outros e lemos o anúncio:

JUDEUS ESTÃO PROIBIDOS DE FREQUENTAR A ESCOLA.
POR ESTE DECRETO, O PRÉDIO ESTÁ FECHADO.

Por vários minutos, ficamos paradas no lugar, enquanto a notícia era digerida. Sem escola! No começo, Marishka e eu simplesmente olhamos uma para a outra, sem saber o que fazer. Eu puxei a corrente hesitante, talvez achando que, se puxasse com força suficiente, ela poderia se abrir na minha mão. Nossos livros, lápis e outros pertences estavam lá dentro. Como poderíamos recuperá-los? O que iríamos fazer o dia todo se não podíamos ir à escola?

Em qualquer outro momento de nossas vidas, ficaríamos muito felizes com a escola fechada, mas não desta vez. Agora sabíamos que algo grave tinha acontecido. Essa era mais uma regra que nos separava de todas as outras pessoas. Nossas vidas estavam sendo roubadas, pouco a pouco, e estávamos ficando cada vez mais assustados à medida que cada lei era aprovada.

Os alunos começaram a se afastar, trocando poucas palavras uns com os outros. Marishka e eu demos os braços, uma segurando a outra para oferecer consolo. Nós viramos lentamente as costas para o prédio e começamos a voltar para casa.

— Você acha que veremos o senhor Reich novamente? — eu perguntei, triste.

— Oh! Tenho certeza de que sim — Marishka respondeu, embora não parecesse convencida disso.

Caminhamos em silêncio. Por fim, Marishka virou-se para mim:

— Vamos ver pelo lado bom — ela disse. — Não temos mais lição de casa!

Eu dei um pequeno sorriso e disse:

— E não temos mais as horríveis provas de ortografia!

— Não vamos mais fazer longas caminhadas até a escola no frio e na chuva! — ela continuou.

— E não vamos mais ter aulas chatas!

Nosso passo ficava mais rápido conforme tentávamos uma animar a outra.

— Vou dormir todas as manhãs daqui para frente – Marishka declarou.

— Ah, não! — eu lamentei. — Vou ter que trabalhar ainda mais na fazenda. Minhas costas doem só de pensar nisso.

Estávamos virando uma esquina e vínhamos tão envolvidas na conversa que quase colidimos com um soldado que bloqueou nosso caminho. Meu coração quase parou quando olhei para o rosto brilhante dele.

— Judias! Por que não olham para onde vão? — ele rosnou, olhando para nós.

— Eu... eu sinto muito, senhor — eu gaguejei. — Nós... nós não vimos... nós... não tivemos a intenção...

— O que você está resmungando? Você é burra demais para responder a uma simples pergunta?

Ele se aproximou de nós. Marishka e eu estávamos paralisadas de medo. Meus olhos percorreram as botas pretas e brilhantes dele, subiram para o seu uniforme marrom e pararam em seu rosto. Eu engasguei, percebendo que o reconhecia. O nome dele era Ivan e ele era amigo do irmão da Nina, tinha visitado a casa dela muitas vezes quando eu brincava lá. Era bem jovem, apenas alguns anos mais velho que eu, mas, agora, vestido com esse uniforme, ele parecia outra pessoa.

— Você me ouviu, judia? Talvez eu precise te ensinar uma lição sobre respeito.

Ele colocou a mão ao lado do corpo e começou a tirar um bastão de madeira que balançava no seu cinto preto. Marishka e eu soltamos um gemido. O que ele ia fazer? Ele ia bater em nós? Ele ia nos prender? Fechei meus olhos e cobri meu rosto com as mãos enquanto Marishka afundou os dedos no meu braço.

— Ivan — a voz de uma menina soou do outro lado da rua. – Ivan, como você está?

Abri só um pouquinho os meus olhos e olhei para cima. O braço de Ivan estava balançando acima da minha cabeça, o bastão oscilava perigosamente perto do meu rosto, mas o rosto dele estava virado na direção da voz que o havia chamado. Segui o olhar dele até o outro lado da rua e fiquei surpresa ao ver Nina acenando e correndo em nossa direção.

— Ivan, não o vejo há *tempos*. Pensei que ainda estivesse estudando fora.

O rosto de Nina estava corado quando ela parou em frente a nós. Ela não olhou nenhuma vez para Marishka nem para mim, mas manteve seus olhos focados em Ivan.

— Você parece tão mais *velho* com esse uniforme! – ela comentou animada. Com cuidado, pegou o braço dele que segurava o bastão e o puxou na direção dela.

— Nina? Nina! Que bom vê-la — disse Ivan, momentaneamente distraído. — Onde está o seu irmão? Ele já voltou do treinamento?

— Sim, sim, ele tem perguntado de você — Nina continuou. Discretamente, mas de propósito, ela colocou-se entre Ivan e nós. – Na verdade, acho que ele deve estar em casa agora. Por que não vem comigo? Saí mais cedo da escola porque tenho uma consulta com o médico. Se você vier para casa comigo, tenho certeza de que mamãe vai servir um *grande* almoço para você. — Nina falava apressadamente, sem pausas. Sua voz estava alta e contente enquanto ela virava Ivan de costas para nós.

— Ah, Nina, eu adoraria ir, mas tenho que lidar com essas judias — ele puxou seu braço do braço dela e virou para nos encarar novamente.

— Oh! Por que se incomodar com elas? — Nina perguntou, pegando o braço dele novamente. — Vamos, minha mãe estava cozinhando de manhã, as sobremesas já devem estar prontas a essa hora. Se nos apressarmos, ainda estarão quentes. Quando foi a última vez que você comeu panquecas recheadas com o que você quiser: queijo, geleia ou semente de papoula com mel?

Ivan riu e estufou o peito.

— Eu com certeza me lembro da deliciosa comida da sua mãe. E aquele creme bem espesso que ela costumava fazer, ela ainda faz?

Ele virou-se novamente para ralhar conosco:

— Vocês duas, saiam daqui. E, da próxima vez que eu as pegar, não as deixarei escapar tão facilmente.

Eu não sabia na época, mas aquela seria a última vez que eu veria Nina. Naquele momento, nossas vidas foram separadas para sempre. Quando

Nina e Ivan chegaram à esquina seguinte, ela se virou um pouco, e nossos olhos se encontraram e disseram tudo. Eu olhei para ela com gratidão e alívio, ela olhou para mim com amizade e pena.

Marishka puxou meu braço com urgência e corremos na direção oposta. Não paramos de correr até chegarmos à minha casa.

Capítulo 9

Marishka e eu irrompemos pela porta da frente, nossos rostos brancos de medo. Mamãe ficou surpresa ao nos ver voltar da escola tão cedo e adivinhou imediatamente que algo estava errado.

— O que aconteceu? — ela gritou. — Vocês duas parecem que viram um fantasma.

Passou um bom tempo até que Marishka e eu pudéssemos falar. Depois, a história saiu aos tropeços das nossas bocas. Contamos a mamãe que tínhamos andado até a escola e a encontrado fechada, descrevemos o aviso que dizia que os judeus não podiam mais frequentá-la, contamos como quase esbarramos no soldado. O rosto de mamãe ficou tenso, com raiva e medo, enquanto contávamos que achamos que iríamos apanhar, mesmo o soldado sendo um conhecido nosso. Por fim, contamos como Nina nos salvou atraindo o soldado para longe. Quando terminamos de contar a história, estávamos exaustas.

— A primeira coisa que vou fazer será avisar a mãe de Marishka que ela está bem e está conosco — mamãe falava calmamente e com autoridade. — Quero que vocês duas fiquem na sala de estar enquanto eu saio e não abram a porta para ninguém. Voltarei em alguns minutos.

Fizemos o que ela mandou, encolhidas, uma ao lado da outra, no sofá da sala de estar. Não trocamos uma palavra, ficamos sentadas em silêncio, os braços cruzados, revivendo o terror em nossas cabeças.

Quando mamãe voltou para casa, tínhamos nos acalmado. Ela nos serviu uma refeição farta, que devoramos em minutos. Não tínhamos percebido como estávamos com fome até nos sentarmos à mesa. Depois, mamãe disse que Marishka poderia passar a noite conosco. Acho que ela percebeu como era importante para nós duas ficarmos juntas, depois de tudo que tínhamos compartilhado naquele dia.

A mãe de Marishka veio mais tarde para vê-la. Elas ficaram no *hall* se abraçando por bastante tempo. Mais uma vez, Marishka e eu descrevemos o que aconteceu. Elas se abraçaram novamente e choraram de alívio por tudo ter acabado bem. Eu sei que a mãe de Marishka preferia ter a filha em casa naquela noite, mas, vendo as nossas expressões, ela concordou que Marishka podia ficar. Mamãe nos ajudou a preparar a cama extra que ficava no meu quarto.

Naquela noite, Marishka e eu ficamos deitadas por muito tempo conversando sobre como escapamos por um triz.

— Por que você acha que ela fez aquilo? — Marishka perguntou certa hora.

— Quem fez o quê? — eu perguntei, confusa.

— A Nina. Por que você acha que ela nos salvou? Se ela não estivesse lá, eu não sei o que poderia ter acontecido!

A mesma pergunta estava na minha cabeça o dia todo. Por que, de repente, Nina tinha nos ajudado? Durante meses, ela me evitou, obedecendo a seus pais e dando as costas para a nossa amizade. O que a tinha feito, de repente, me defender? Por que ela tinha se arriscado? Era difícil entender.

— Sabe — eu comecei a dizer —, eu tinha finalmente me convencido a parar de pensar na Nina, parar de querer que ela ainda fosse minha amiga.

Eu pensei que ela não gostasse mais de mim. Agora estou mais confusa do que nunca.

— Bem, acho que ela ainda pensa em você — Marishka disse. — Você sabe o quanto foi perigoso para ela interferir daquele jeito? Se o soldado tivesse percebido o que ela estava fazendo, quem sabe o que ele poderia ter feito, conosco e com a Nina?

— Eu acho que, lá no fundo, ela ainda me considera uma amiga.

Eu pensei em todos os anos durante os quais Nina e eu tínhamos sido amigas e em como nossa amizade era forte. Nós tínhamos uma defendido a outra, confiado uma na outra e sido leais uma à outra. Lealdade. Essa palavra significa tantas coisas, como, por exemplo, não virar as costas para um amigo quando esse amigo está com problemas e estar por perto para ajudar quando alguém precisar. Naquele dia, Nina tinha mostrado para mim que ainda era uma amiga leal, que o pacto que existia entre nós ainda era importante para ela.

— Vocês eram muito próximas — Marishka disse.

Eu concordei com a cabeça e engoli em seco:

— Como irmãs.

— Você acha que, quando tudo isso acabar, vocês podem voltar a ser amigas como antes?

Como eu poderia responder? Era difícil pensar que essa situação fosse acabar. Todos os dias, nós tentávamos dizer a nós mesmos que tudo ia melhorar e, todos os dias, tudo parecia piorar.

— O que vai acontecer conosco? — Marishka perguntou, como se lesse meus pensamentos. — Sabe, não só com você, comigo e com nossas famílias, mas com todas as famílias judias.

Eu não respondi.

— Sabe — ela continuou —, muitas pessoas estão indo embora da vila. Você não reparou? Dora e a família dela, Armin e os seus pais, os Bottensteins, os Wohls. Um dia estão aqui, no outro dia foram embora. Outras pessoas estão partindo também, nem sei para onde estão indo.

Eu continuava sem responder. Sabia que havia pessoas saindo da nossa vila. Alguns dias antes, Jeremy tinha passado pela nossa casa e parado para dizer que ele e a família estavam indo para a Palestina. Iam partir na semana seguinte. Seria extremamente difícil e arriscado, os pais dele tinham pagado um valor alto para conseguirem os documentos de saída e serem tirados do país clandestinamente em um caminhão. Iriam primeiramente para o Mar Báltico, de onde cruzariam para a Palestina de barco. Apesar do perigo, estavam determinados a fugir. Eles chegariam em segurança?

Eu não tinha visto Jeremy desde que a nossa escola tinha sido fechada, mas pensava nele com frequência. Depois que papai morreu e Jeremy teve toda aquela atenção comigo, nós nos tornamos amigos especiais. Ele, às vezes, carregava os meus livros quando caminhávamos até a escola e, muitas vezes, esperava depois da aula para me acompanhar até minha casa. Com todos os perigos para judeus nas ruas, eu me sentia realmente mais segura quando Jeremy estava por perto. Agora, não tinha ideia se voltaria a vê-lo e esse pensamento me entristecia. Parado em frente a mim, dizendo que ia embora, ele parecia tão incomodado e constrangido. Por fim, depois de um longo silêncio, ele apertou minha mão. Balançando-a com força, prometeu escrever e saiu correndo antes que eu pudesse dizer alguma coisa.

Também ouvi a mãe de Marishka dizer alguma coisa à mamãe sobre ir embora. Quando perguntei a mamãe sobre isso, ela confessou que era algo em que ela também tinha pensado. Tínhamos família na Inglaterra, na Suíça e até na América. Com certeza seria mais seguro ir até eles, mas, ainda assim, enquanto conversávamos sobre as possibilidades, sabíamos que não teríamos coragem de ir. De alguma forma, deixar nossa casa era mais assustador do que ficar e enfrentar qualquer dificuldade que pudesse aparecer. Nosso lar era aqui. Papai estava enterrado aqui. Como poderíamos ir?

— Não quero mais conversar, Gabi — Marishka disse, bocejando alto. — Estou tão cansada, preciso dormir.

Minutos depois, a respiração dela ficou lenta e regular e percebi que ela estava dormindo.

Para mim, era diferente. Fiquei acordada por horas eu acho, minha cabeça fervilhando de novo e de novo com os eventos do dia. Dentro da minha mente, ainda conseguia ver o bastão do soldado balançando acima da minha cabeça, podia sentir meu coração disparado de terror enquanto sua voz cruel e furiosa gritava comigo, podia ouvir a voz de Nina interrompendo sua horrível provocação. Eu ficava dizendo a mim mesma para ter calma e respirar profundamente. Eu estava segura, por ora, e tinha de manter a cabeça fria para continuar assim.

E, então, pensei em papai. Quando eu era criança, eu tinha pesadelos e era ele que vinha para minha cama me consolar. A voz tranquilizadora dele sempre funcionava como mágica e meus pesadelos evaporavam no ar. Em meio à névoa daqueles sonhos ruins, ele sempre me abraçava apertado e sussurrava sua canção de ninar especial em meu ouvido:

> *Vou protegê-la do mal,*
> *Você não deve sentir temor,*
> *Você estará segura, minha criança preciosa,*
> *Você estará segura, meu amor.*

Deitada na cama, naquela noite, pensar em papai me ajudou. Tudo o que tinha acontecido naquele dia era como um pesadelo. "Gabilinka", papai diria, "não tenha mais medo, estou aqui agora". Fiquei repetindo o poema de papai em minha cabeça e, por fim, suas promessas tranquilizadoras me embalaram para dormir.

Capítulo 10

Novembro de 1942

Nos meses seguintes, percebi que fui ficando cada vez mais cuidadosa com tudo que fazia. De certa forma, era um alívio não ter de ir à escola, pois eu não tinha que andar pelas ruas da cidade e correr o risco de ter um novo confronto com um soldado. Até mesmo ir e voltar da casa de Marishka assustava-me mais do que eu imaginava que fosse possível. Eu andava rapidamente, olhando em todas as direções. Ao primeiro vislumbre de um estranho ao longe, eu corria com velocidade total para casa, sem esperar para ver se era um amigo ou inimigo. Eu preferia que Marishka fosse até minha casa, mas ela tinha tanto medo do caminho quanto eu, portanto, na maior parte do tempo, eu ficava em casa com mamãe, ajudando-a na fazenda e nos afazeres domésticos.

Dia após dia, escutávamos mais notícias sobre a guerra. Mamãe tinha conseguido um rádio de um antigo empregado da fazenda, embora os judeus estivessem proibidos de ter rádios. À noite, com todas as luzes apagadas, tentávamos sintonizar noticiários de outros países.

Um ano antes, a União Soviética tinha entrado na guerra contra a Alemanha e, logo depois, os Estados Unidos se juntaram aos Aliados também. Eram países enormes. Claro que, com tantas pessoas lutando contra a Alemanha, a maré de sorte da guerra logo trocaria de lado. Com certeza o conflito logo acabaria. No entanto, mês após mês, a guerra continuava e as notícias de rádio dos países controlados pela Alemanha louvavam Hitler sem parar e prometiam que os nazistas iriam dominar o mundo inteiro.

Certa manhã, enquanto eu rolava de um lado para o outro na cama, percebi que o sol já entrava pela janela do quarto. Era tarde, bem depois do amanhecer. Por que mamãe não tinha vindo me acordar? Fiquei olhando para a janela por um momento, não conseguia lembrar quando tinha sido a última vez que eu tinha parado um pouco para olhar a bela vista que ela tinha. As montanhas estavam lindas como sempre, cobertas, em algumas partes, por uma grossa camada de neblina e salpicadas de arbustos verdes e sombras azuis. Fiquei impressionada ao pensar que, embora boa parte do mundo tivesse mudado drasticamente, as montanhas estavam iguais ao que sempre foram, sólidas e confiáveis como as quatro paredes do meu quarto.

A porta do meu quarto foi aberta lentamente e o barulho da dobradiça trouxe-me de volta ao presente. O rosto sorridente de minha mãe espiou por detrás dela.

— Mamãe, está tudo bem? — eu perguntei. — Você não me acordou.

— Feliz aniversário, Gabilinka — ela gritou, entrando em meu quarto com um embrulho brilhante nas mãos. — Não, eu não a acordei hoje. Como presente de aniversário especial, deixei que você dormisse o quanto quisesse.

Meu aniversário! Eu tinha praticamente esquecido que era meu aniversário. Fiquei perplexa! Meu aniversário sempre tinha sido o dia mais aguardado do ano para mim. Um aniversário mal terminava e eu já começava a esperar ansiosa pelo próximo. E lá estava eu, esquecida de tudo isso.

— Este ano, o presente não é muito bom, querida — minha mãe disse, desculpando-se.

Desembrulhei lentamente o pacote colorido e tirei um cachecol tricotado à mão e luvas combinando. Mamãe tinha usado todos os pedaços de fios que tinha para criar uma mistura de cores e tons com a lã. Afundei meu rosto naquela maciez.

— São lindos, mamãe — eu disse e não pude ignorar a expressão de alívio nos olhos dela. — E é bem do que eu precisava.

— Gabi, agora se levante e se vista rapidamente. Marishka e a mãe dela estão vindo para celebrar e também alguns dos seus antigos colegas da escola. O que iriam pensar se você se atrasasse para a sua própria festa?

Meu almoço de aniversário foi uma delícia. Mamãe tinha conseguido, de alguma forma, comidas que não tínhamos fazia tempos. Havia sopa fria com cerejas frescas e bolinhos cozidos recheados com ameixas. Tinha até canela e chocolate salpicados sobre meu bolo de aniversário, treze velas e uma para dar sorte. Soprei todas enquanto meus amigos cantavam parabéns e, depois, abri meus presentes. Uma das minhas amigas trouxe um livro fascinante sobre o litoral. Ela sabia quanta falta eu sentia da biblioteca da escola, eu já tinha lido e relido todos os livros que tínhamos em casa. Outra amiga trouxe um tecido que mamãe disse que transformaria em uma nova saia. Eu não ganhava roupas novas fazia muito tempo.

O melhor presente foi o de Marishka. Ela me fez fechar os olhos e colocou uma trouxinha quente e peluda nos meus braços.

— Uma gatinha! — eu gritei. — Ah, Marishka, ela é linda! Muito obrigada!

Dei um abraço rápido em Marishka enquanto ela explicava que a gata dela tinha tido filhotes recentemente. Marishka tinha escolhido aquela fêmea para mim e ela era adorável. Manchas pretas irregulares cobriam o seu corpo branco. Até os olhos dela eram diferentes, um era rodeado de preto e outro era circulado por um branco bem puro. As suas patas eram pretas, parecia que ela estava usando chinelos. Ela era pequena, mal preenchia as minhas mãos, e fazia um barulho muito bobo quando abria a boca para miar, quase não passava de um guincho. Eu me apaixonei por ela imediatamente e trouxe aquela gatinha toda contorcida para perto do rosto, para encostar o nariz no seu pelo macio.

Naquela tarde, depois que os outros já tinham ido embora para casa, Marishka e eu levamos a gatinha para o jardim, onde ela fez a maior farra na grama, perseguindo todos os insetos e passarinhos que voavam por cima dela. Marishka e eu deitamos viradas para cima, deixando o quente sol do outono derramar-se sobre nossos rostos e braços.

— Você vai ter de dar o meu nome à gatinha — Marishka disse de repente. — Dessa forma, você não vai me esquecer.

— Por que eu a esqueceria? — eu perguntei. — Você mora virando a esquina.

— Não por muito tempo, Gabi. Nós... minha família e eu, nós vamos embora.

— O que você quer dizer com "ir embora"? — eu perguntei, sentando-me e sentindo um nó no estômago.

— Eu estou tentando contar a você faz algum tempo — Marishka disse —, mas eu não sabia como falar. E minha mãe disse que não podíamos falar muito sobre isso, para que os soldados não descubram e causem problemas.

A voz dela tremeu um pouco. Ela evitou meu olhar e continuou:

— Aqui não é mais seguro, Gabi. Você sabe disso e eu sei também. Quando ficamos sabendo sobre aquelas meninas em Levoca, que foram levadas embora, meus pais ficaram muito tristes. E, depois que você e eu quase apanhamos daquele soldado, minha mãe disse que era demais para ela. Vamos sair daqui antes que seja tarde demais.

— Ah, não, você não pode ir embora! — eu gritei. Ainda não conseguia aceitar o fato de que não estávamos mais seguras em nossas casas. Não havia mais nada com que contar? — Para onde você vai?

— América — ela respondeu. — Meu pai tem primos em Nova York. Vamos de trem até a Hungria, depois para a França e depois de navio pelo oceano.

— Quando? — eu sussurrei.

— Assim que pudermos. Não será fácil e sabemos que será perigoso. Há um funcionário da ferrovia que está disposto a nos esconder em um trem de carga que vai para a fronteira. De lá, outras pessoas estão fazendo os preparativos para nos levar até a costa. Eu não sei todos os detalhes, meus pais disseram que está custando caro, mas vale a pena gastar tudo o que temos se pudermos sair daqui. Gabi, você tem que convencer sua mãe a partir também. Sei que minha mãe tentou falar com ela, mas sua mãe é tão teimosa que não quer ouvir.

"Quem é teimosa?", pensei com pesar. Virei-me para Marishka e a abracei com força, meus olhos transbordavam de lágrimas.

— Vou dar o nome de Mashka para a gatinha — eu disse com a voz abafada. — mas não preciso de nada para me lembrar de você. Nunca vou esquecê-la! Nunca!

Naquela noite, e pelo resto do dia seguinte, mamãe e eu conversamos sem parar sobre Marishka, a família dela e o motivo de irem embora. Sabíamos que havia oportunidades para partirmos também e era o momento de pensar seriamente em nossas opções. Alguns dias antes, uma prima da minha mãe, que morava nos Estados Unidos, tinha escrito para nos incentivar a ir morar com ela e sua família. Ela prometeu que nos ajudaria a sair do país dando-nos documentos de viagem falsos que nos identificariam como cristãs. Documentos assim eram quase impossíveis de conseguir, mas, com os contatos certos, os oficiais podiam ser subornados. Quando estivéssemos na América, ela também ajudaria a nos acomodar.

As ofertas eram tentadoras, especialmente quando olhávamos em volta e víamos nossos amigos e vizinhos indo embora. Talvez estivéssemos mesmo sendo descuidadas, ou simplesmente negando a realidade à nossa volta. E, ainda assim, depois de todas as conversas, não conseguíamos nos convencer a ir.

Olhamos uma para a outra e soubemos o que fazer. Em um acordo silencioso, começamos a esvaziar o armário de louças.

— Nunca se sabe quando um esconderijo poderá ser útil — mamãe disse, casualmente. — Faz bem estar preparada.

Cada peça de cristal, louça e prata foi removida cuidadosamente, embrulhada em panos e colocada em outro armário. Até o tabuleiro de xadrez foi tirado para ser colocado em outro lugar. A prateleira do meio foi totalmente baixada pra abrir mais espaço. Quando terminamos, olhei para dentro do armário de louças. Estava vazio e escuro, como uma pequena caverna. Esse espaço limitado seria suficiente para me proteger no dia em que eu precisasse?

Ao me deitar, olhei novamente pela janela do quarto. À noite, eu não conseguia ver as montanhas, tudo parecia preto e sem forma. Mas, se eu me aproximasse da janela e esticasse o pescoço, podia ver a linha de estrelas que marcava o limite entre montanhas e céu. Havia um lugar lá fora mais seguro para mamãe e para mim? Um espaço tão vasto lá fora e eu confiava minha segurança a um armário de louças tão pequeno. Seria suficiente? A gatinha estava enrolada como uma bola de pelo ao pé da minha cama. Que aniversário estranho tinha sido aquele, eu pensei. E, no próximo, estaríamos juntas ainda? Eu estaria segura?

Capítulo 11

Algumas semanas depois, mamãe decidiu que eu deveria praticar como me esconder no armário de louças. Seria como um ensaio geral, ela disse, uma chance para eu me preparar caso precisasse me esconder. Eu não gostava nem um pouco da ideia.

— Não preciso praticar como me esconder em um armário — eu reclamei. — Não é difícil. Além disso, você disse que eu precisava varrer o chão da cozinha e eu ainda não fiz isso.

Eu tentei todas as desculpas para distraí-la de me fazer entrar no armário.

— Você precisa fazer uma tentativa, Gabi — ela insistiu. — E se o armário for muito pequeno para você ou não tiver ar suficiente quando fecharmos a porta? São coisas que precisamos descobrir, ou então não podemos contar com o armário como esconderijo.

Lá no fundo, eu sabia que ela estava certa. Eu estava preocupada em como me sentiria sendo guardada dentro de um armário. E quem poderia saber por quanto tempo os soldados ficariam na casa, procurando por mim? Se eu ficasse dentro do armário de louças por muito tempo, teria ar suficiente para respirar? Eu ficaria muito assustada sozinha no escuro? E se eu precisasse me esticar e não conseguisse? Todas essas ideias estavam rodando na minha cabeça. A única maneira de chegar perto de conseguir as respostas seria entrar no armário e eu mesma ver como era. Mas a ideia de entrar era assustadora.

— Talvez devêssemos esquecer isso — mamãe disse. — De qualquer forma, provavelmente é uma péssima ideia você ficar nesta casa, e o armário de louças é um esconderijo tão óbvio, provavelmente será o primeiro lugar onde vão procurar. O que eu estava pensando quando deixei que você me convencesse? Sei que ficará mais segura se eu a mandar para longe.

Essa ideia era ainda mais assustadora.

— Mamãe, você prometeu que não faria isso! Você prometeu!

— Então, precisamos estar preparadas, e a única maneira de fazer isso é se você praticar como se esconder. Não há outra opção, Gabi. Ou você entra no armário ou eu tiro você daqui.

A ameaça da minha mãe parecia cruel, mas eu sabia que não tinha escolha. Eu andei até o armário de louças e ela segurou a porta aberta para mim.

Já tínhamos conversado sobre como lidar com uma emergência, se ela acontecesse. Mamãe disse que, se escutássemos que os soldados estavam vindo me procurar, eu teria de largar o que estivesse fazendo e correr para o armário. Eu disse a ela que seria como as simulações de incêndio que tínhamos na escola. Deveríamos parar tudo o que estávamos fazendo e ir para fora, sem levar nossos casacos, botas, nada. Ensinaram-nos a sair em segurança rapidamente e seria isso o que eu precisaria fazer. Depois que estivesse dentro do armário de louças, mamãe disse que eu teria de ficar o mais quieta possível. Se eu me mexesse muito, tossisse ou espirrasse, poderiam me ouvir.

Eu me curvei para olhar dentro do armário. Sem todas as coisas bonitas dentro, não parecia tão confortável e convidativo, era escuro e sem vida. Tomei fôlego e engatinhei para dentro do buraco. Era apertado e desconfortável. Mesmo com a prateleira abaixada, quase não tinha espaço suficiente para mim. Tive de me sentar curvada, apertando meus joelhos contra meu peito e tombando minha cabeça para frente.

— Vou fechar agora — mamãe disse. — Tente ficar aí dentro até eu destrancar a porta e deixá-la sair.

Conforme a porta foi lentamente fechada, a luz vinda de fora desapareceu até que o interior do armário de louças ficou completamente escuro. Lembrava-me daquele momento, todas as noites, em que eu desligava as luzes do meu quarto e, por uma fração de segundo, não sabia onde estava. Porém, diferentemente do meu quarto, onde tudo uma hora entrava em foco, nada dentro do armário era familiar. Não conseguia nem ver meus dedos quando erguia a mão em frente ao meu rosto. Forçando os olhos, tentei esticar o braço e encontrar algo para segurar, algo quente e tranquilizador, mas a madeira ao meu redor era áspera e dura e o isolamento era insuportável.

Em poucos minutos, senti o ar dentro de mim ser sugado para fora até que mal podia respirar. Comecei a entrar em pânico. Tentei respirar fundo para me acalmar, mas não deu certo. Quanto mais eu dizia a mim mesma para relaxar, mais desesperada eu me sentia. E, quanto mais desesperada eu me sentia, mais histérica eu ficava. Meu rosto ficou quente e eu tremia. No desespero, meus braços começaram a se debater contra as paredes do armário. Minha cabeça bateu com força na parte de cima, o que fez meu corpo sacudir. Eu já estava suando e tentando engolir um pouco de ar. Era impossível, eu não poderia ficar lá.

— Deixe-me sair! — eu berrei, esmurrando a porta. — Abra as portas, eu tenho que sair! — berrei ainda mais alto.

Ouvi o barulho estridente da chave na fechadura e as portas finalmente se abriram.

Eu estava histérica quando caí no chão, esfregando o vergão que já se formava em minha cabeça.

— Não consigo, mamãe! Não posso ficar lá dentro! Não consigo respirar, não consigo ver, não consigo me mexer!

Cobri meu rosto com minhas mãos e solucei incontrolavelmente.

Passaram-se alguns minutos e mamãe me olhava. Eu sabia o que ela estava pensando, ela estava tentando imaginar como fazer para que eu fosse me juntar à família Kos nas montanhas. Eu tinha provado que esse plano era um fracasso, portanto, tínhamos que fazer outra coisa. Entretanto, eu não podia deixá-la fazer aquilo, de jeito nenhum eu ia abandonar a mamãe. Mesmo que tivesse que ficar no armário de louças por dias!

— Mamãe, desculpe, eu só me assustei. Eu não achei que fosse ficar tão escuro e tão quente lá dentro, mas agora está tudo bem. Eu sei o que esperar, apenas me dê alguns dias e vamos ensaiar novamente. Prometo que me sairei melhor da próxima vez. Você vai ver.

Eu não estava convencendo nem a mim mesma. Sabia que estava falando coisas desconexas, mas, de alguma forma, eu tinha que fazê-la acreditar que eu seria capaz de me esconder no armário de louças quando chegasse a hora. Ela parecia duvidar.

— Não sei, Gabi, não podemos brincar com isso. Eu preciso saber que, quando você entrar no armário, você conseguirá ficar lá. Se eu não puder ter certeza disso, teremos que fazer outros planos agora mesmo.

— Prometo que me sairei melhor da próxima vez, você vai ver. Só me dê alguns dias para descansar e tentaremos novamente. Por favor, mamãe.

De repente, ela parecia cansada. A verdade era que nenhuma de nós tinha como saber qual era o melhor plano.

— Tudo bem, Gabi — ela disse, por fim. — Esperaremos alguns dias e tentaremos de novo.

Capítulo 12

Abril de 1943

A segunda chance de ensaiarmos nunca chegou. Na verdade, por mais maluco que pareça, meses passaram e quase esquecemos o meu esconderijo no armário de louças. As notícias sobre invasões e pessoas sendo levadas embora praticamente pararam nessa época. Aparentemente, a população local e oficiais do governo tinham começado a reclamar do desaparecimento de médicos, advogados e empresários judeus. Frente a essas reclamações, a campanha de perseguição foi desacelerada durante um tempo. Isso não significa que as restrições e a discriminação acabaram. Continuávamos sem poder ir à escola, ainda era difícil conseguir comida e os saques ainda aconteciam regularmente.

Às vezes, mamãe dizia que eu deveria treinar como me esconder no armário de louças de novo. Ela até sugeriu chamar alguém para ver se era possível fazer buracos para a entrada de ar na parte de trás, para que eu respirasse melhor lá dentro. Porém, todas as vezes que ela mencionava algo assim, eu conseguia distraí-la e mudava de assunto. Era quase como se tivéssemos convencido a nós mesmas de que os problemas tinham acabado e a vida logo voltaria ao normal. Na verdade, nossas vidas acabaram caindo em uma rotina, apesar de tudo que acontecia ao nosso redor. Por isso, foi um choque ainda maior quando o pesadelo, de repente, aconteceu.

Eu estava sozinha em casa, brincando com a gatinha no quintal da frente. Mamãe tinha ido à casa de Marishka para tentar encontrar roupas para nós. A família de Marishka tinha partido havia uma semana, levando apenas roupas e pertences suficientes para fazer a viagem por mar até a América. Deixaram todo o resto para trás.

Eles tinham levado muito tempo para juntar todos os documentos de viagem necessários. Quanto mais Marishka permanecia na nossa vila, mais eu me convencia de que ela poderia não ir embora. Porém, finalmente, chegou o dia da partida. Tentei dizer a ela que sua família era louca de ir embora, mas quem eu pensava que era para fazê-la mudar de ideia? No final, juramos que, de alguma forma, voltaríamos a nos ver no futuro.

Antes da despedida, a mãe de Marishka nos fez prometer que entraríamos na casa e pegaríamos o que precisássemos. Mamãe tinha saído de manhã cedo e, embora sempre ficasse preocupada quando me deixava sozinha em casa, eu garanti a ela que ficaria bem.

A gatinha estava perseguindo borboletas, como sempre, e eu gargalhava cada vez que ela pulava, tentando, em vão, capturar ao menos uma criatura distraída. Estava tão envolvida na brincadeira que quase não ouvi a voz de minha mãe chamando ao longe.

— Gabi! Os soldados! Os caminhões! Estão vindo agora! Corra e se esconda!

Virei-me e vi mamãe correndo pelo caminho até nossa casa, medo e pânico estampados no seu rosto. No início, não entendi o que ela estava dizendo. Era uma piada? Ela estava fingindo para que eu fosse obrigada a ensaiar de novo? Depois, pensei que talvez ela tivesse se machucado ou que alguma coisa tinha acontecido com outra pessoa. Quando ela chegou à nossa casa e gritou de novo, eu percebi que aquilo estava acontecendo de verdade. O perigo que temíamos estava na porta de casa.

— Gabi! Não há tempo a perder. Você tem que se esconder no armário de louças.

O impacto total do que ela estava dizendo começou a entrar na minha cabeça e, por um momento, não consegui me mexer. Senti como se minhas pernas estivessem coladas no chão e pensei, loucamente, que os soldados iriam me encontrar lá, presa, impossibilitada de fugir. "Esconda-se", eu pensei. "Preciso me esconder." Tentei pegar a gatinha, mas mamãe puxou meus braços.

— Não, Gabi, não há tempo para cuidar da gata. Deixe-a aí.

Ela segurou minha mão e me empurrou na direção da casa. Juntas, fomos para a sala de jantar e corremos para o armário de louças. Mamãe chegou primeiro e abriu a porta, fazendo um gesto para que eu entrasse. Hesitei por um momento, olhando para a escuridão, lembrando-me do desastroso ensaio de alguns meses atrás.

Um primeiro pensamento foi de que eu não podia fazer aquilo. Meu corpo ficou duro quando lembrei como o armário era escuro e apertado. Gotas de suor surgiram na minha testa e acima do meu lábio, pois me lembrei de como tinha me sentido com calor e espremida. Tremendo de medo, imaginei se iria desmaiar. Como eu poderia entrar no armário de louças e ficar lá?

Porém, eu não tinha opção. Era minha única chance de ficar segura. A qualquer minuto, os soldados iam irromper pela porta e, depois que chegassem, não haveria mais esperança para mim, eu com certeza seria levada. Minha escolha era enfrentar os soldados ou enfrentar a escuridão.

— Rápido, rápido! — mamãe gritou de novo. — Para dentro e não faça nenhum barulho.

Nunca senti tanto medo. Tomando fôlego, baixei a cabeça e engatinhei para dentro do armário de louças. Enquanto eu me ajeitava na escuridão, mamãe fechou as portas rapidamente. Ouvi o som da chave virando na fechadura. Fechei meus olhos bem apertados, segurei a respiração e tentei controlar as batidas aceleradas do meu coração.

Ficar dentro do armário era ainda pior do que da primeira vez. Por que não pensamos em colocar uma almofada lá dentro, ou algo macio que eu pudesse segurar? Não havia nada lá além de madeira e pregos. Abracei meu corpo para me consolar, mas não era suficiente. Pensei que, se gritasse, mamãe viria me tirar de lá. Ela iria abrir a porta e me abraçar. Eu precisava de ar e lá não tinha. Talvez se eu abrisse a porta só por um minuto, respirasse bem fundo e fechasse a porta novamente, eu me sentiria melhor. O que eu estava pensando? Essa confusão de pensamentos era loucura, eu sabia que não podia fazer nada. Os soldados estavam vindo e eu tinha que ficar parada.

Não demorou muito para eu ouvir uma batida abafada na porta da frente de casa. Pessoas com vozes ríspidas e graves estavam falando, mas eu não conseguia entender as palavras. Às vezes, as vozes ficavam mais altas, misturadas com o som de mamãe dizendo alguma coisa que eu não conseguia entender. Pensei ter ouvido alguém dizer "menina" e depois "procurem", mas eu não podia ter certeza. Parecia haver muita gente na casa, eu ouvia as portas dos armários sendo abertas e fechadas. De vez em quando, pensava ouvir o barulho de algo sendo quebrado.

Meus olhos ainda estavam fechados, meus ouvidos tentavam dar algum sentido aos barulhos vindos lá de fora. Meu coração batia tão rápido e alto que eu pensei que ele ia sair do meu peito. E se alguém lá fora escutasse? Minha respiração estava rápida e baixa e eu aspirava só um pouquinho de ar de cada vez. Eu sabia que, se não respirasse mais devagar, corria o risco de desmaiar. O suor escorria de cima do meu lábio e da minha testa. "Preciso relaxar", pensei sem esperança, enquanto baixava ainda mais minha cabeça de encontro ao meu peito.

Eu estava desesperadamente preocupada com mamãe e com a sua segurança. O que os soldados fariam se não me encontrassem? Eles a levariam no meu lugar? Eles a machucariam? Então, conforme comecei a ouvir vozes se aproximando do armário de louças, entrei em pânico e achei que tinham me encontrado. O que os soldados fariam quando colocassem as mãos em mim? Eu sabia que seria levada, mas para onde? Eles me machucariam? Eu veria mamãe novamente? Cada minuto parecia demorar uma vida inteira, era insuportável ficar dentro do armário e ainda mais insuportável não saber o que estava acontecendo lá fora. Abracei meus joelhos, apertei-os para mais perto do meu peito e rezei para que essa provação acabasse logo.

De repente, ouvi alguma coisa na porta do armário. O que era aquele barulho? Parecia uma lixa sendo raspada na madeira ou algo sendo arranhado. Os soldados ainda não tinham ido embora, então eu sabia que não era a mamãe vindo me libertar. Era um soldado? Eu tinha sido descoberta? Talvez a mamãe estivesse mesmo certa, o armário de louças era um lugar muito óbvio para se esconder. Esperei um pouco, pensando que a porta seria aberta, mas não foi. Ainda assim, o barulho de algo sendo arranhado continuou e foi então que ouvi um miau baixinho e percebi o que era. Mashka! A gatinha deve ter visto quando eu entrei no armário e agora ela estava vindo me cheirar! Por um segundo, esqueci meu pânico e quase ri alto dessa loucura. Lá estava eu, pensando que os soldados estavam prestes a abrir o armário e me encontrar quando, na verdade, a minha própria gatinha estava quase me traindo, arranhando e miando na porta. Que maneira ridícula de ser descoberta!

O momento de humor não durou muito. Segundos depois, o som das unhas de Mashka arranhando foram substituídos pelos ruídos de botas chegando cada vez mais perto. Agora sabia que meu tempo tinha acabado. A qualquer momento, eles iriam mandar mamãe abrir a porta do armário de louças. A onda de pânico voltou com força total e eu cerrei os punhos contra meu rosto, mordendo forte minha mão para evitar um berro. Fechei meus olhos novamente e rezei em silêncio pela minha segurança.

E então, no escuro do meu esconderijo, percebi que havia algo perto de mim. Primeiramente, senti algo quente, como se braços fortes estivessem vindo me abraçar. Abri meus olhos e olhei para a escuridão. Não conseguia ver nada, mas ainda assim sentia alguma coisa lá. Conforme virei a cabeça para a esquerda e a direita, senti de novo. Eu não conseguia descrever a sensação. Era um cheiro? Como loção pós-barba? Não, talvez o odor suave de um cachimbo. Era dolorosamente familiar e encheu os cantos do armário até que, finalmente, eu percebi o que era. Papai! O cheiro dele, o sorriso dele. Fora do armário, a confusão e as pisadas da busca dos soldados continuavam, mas, dentro do armário, eu sentia o calor do olhar de papai sobre meu rosto e, lentamente, meu corpo começou a relaxar. As batidas rápidas do meu coração ficaram mais lentas, minha respiração ficou mais silenciosa e regular. Meus medos começaram a desaparecer, era como se papai estivesse lá comigo, para me proteger como tinha feito quando estava vivo. Eu o ouvi falar e escutei sua voz tranquilizadora:

Vou protegê-la do mal,
Você não deve sentir temor,
Você estará segura, minha criança preciosa,
Você estará segura, meu amor.

Eu ouvia a voz de papai recitando o poema de novo e de novo. E cada vez que eu ouvia o poema, e cada vez que eu via o sorriso de papai, sentia que ia ficando mais calma. As vozes do lado de fora eram só um zumbido abafado na distância agora. A escuridão ao meu redor não parecia mais fria, o piso de madeira do armário parecia me acomodar como uma almofada. Eu me sentia quente e protegida. Eu sabia que ficaria segura.

Capítulo 13

Não sei por quanto tempo fiquei assim no armário de louças, mas devem ter-se passado horas até eu ouvir o som da chave na fechadura e sentir um sopro de vento fresco quando a porta foi aberta. Eu tropecei para fora, de cabeça, nos braços de mamãe. Ela me agarrou e me puxou para perto. Demos um abraço apertado enquanto eu soluçava de alívio.

— Calma, calma, Gabilinka, acabou. Os soldados se foram e você está segura.

Mamãe me balançou em seus braços, acariciando meu cabelo e meu rosto. Eu estava ensopada de suor e mechas de cabelo estavam grudadas no meu rosto e no meu pescoço. Meus soluços eram altos e dolorosos, e meu alívio ao ver mamãe estava misturado com a lembrança torturante do que eu tinha acabado de passar. Mamãe beijava minha testa, sussurrando sem parar:

— Você está segura, os soldados se foram.

Embora a voz dela fosse tranquilizadora, eu podia perceber, pelo tremor em seus braços, que ela tinha passado um medo tão grande quanto o meu.

Foram necessários vários minutos para que meu coração acelerado diminuísse de ritmo e eu pudesse recuperar o fôlego. Afastando-me dos braços de mamãe, olhei a sala de estar ao redor, percebendo como a casa estava bagunçada. Roupas e tecidos jogados por toda parte, pratos dos armários da cozinha quebrados ou em pilhas no chão, copos destruídos, plantas derrubadas, até os tapetes tinham sido puxados. Parecia que um ciclone tinha atingido a casa, nada estava no lugar. Debaixo de uma pilha de almofadas, ouvi um barulhinho de alguma coisa sendo arranhada e um choro abafado.

— Mashka, meu pobre bebê — eu chamei, colocando a mão sob as almofadas para tirar a gatinha chorosa. — Os soldados também não a pegaram!

Segurei a gatinha perto do meu rosto enquanto ela ronronava e sua língua áspera pincelava minha bochecha, limpando os traços de suor e lágrimas. Depois, passados vários minutos, eu finalmente fiquei calma o suficiente para escutar a descrição de mamãe do que tinha acontecido na casa enquanto eu estava escondida.

Os soldados tinham marchado pelo caminho que levava até a casa alguns segundos depois de mamãe ter trancado a porta do armário de louças. Deram pancadas na porta e exigiram saber se alguma menina morava na casa. Mamãe disse calmamente que, sim, ela tinha uma filha, mas eu estava fora, visitando parentes no interior. Mesmo enquanto ainda estava falando, ela sabia que eles não tinham acreditado. Gritaram que ela estava mentindo e a empurraram violentamente para fora do caminho deles. O soldado que estava no comando ordenou que os outros começassem a pôr a casa abaixo, procurando por mim.

Mamãe fechou os olhos enquanto descrevia como eles tinham revistado cada canto e cada armário, procurado em cada cômodo. Móveis foram empurrados e o que estava guardado nos guarda-roupas foi espalhado pelo chão. O baú com lençóis foi virado e a dobradiça da tampa quebrou. O pote de açúcar foi quebrado e o açúcar foi triturado pelas solas das botas dos soldados. Os tapetes foram rasgados para eles verificarem se havia um alçapão levando a um esconderijo embaixo da casa. Abajures foram derrubados e fotos tiradas do lugar. A mesa de centro foi virada e a estante de livros também, espalhando dúzias de livros pelo chão da sala de estar. A busca dos soldados foi minuciosa e completa. Como podiam ter deixado passar o armário de louças?

— Eles procuraram por tanto tempo e não encontraram nada — disse mamãe. — E estavam ficando cansados e impacientes. Pensei que estavam prestes a desistir quando, de repente, sua gatinha entrou correndo na sala de estar chorando por você. Ela foi diretamente para o armário de louças e começou a arranhar a porta, achei que eu fosse desmaiar.

Lágrimas encheram os olhos de mamãe ao lembrar o terror que ela sentiu.

— Um dos soldados, um jovem, reparou na gata e caminhou até o armário. Foi como se tivesse repentinamente percebido que você estava lá e que aquele lugar não tinha sido revistado. Eu não sabia o que fazer, tive certeza de que eles iam encontrá-la.

— Como você conseguiu pará-los? — eu perguntei.

— Bem, você não vai acreditar nisso, Gabilinka, mas bem naquele momento lembrei-me de algo que vi em um filme. A personagem do filme estava tentando fazer as pessoas da rua olharem para ela para que não vissem seu amigo roubar uma loja. No meio da rua, ela começou a gritar e gritar e todo mundo correu para ver o que estava acontecendo. Pensei nessa cena no exato momento em que o soldado estava andando na direção do armário de louças e, assim, comecei a gritar e lamentar como uma louca. Caí de joelhos, berrando que todas as minhas lindas coisas estavam sendo destruídas. Oh! Você deveria ter me visto! Que cena eu fiz! E, o que é melhor, eu assustei a gatinha e ela saiu de perto do armário!

Não pude deixar de sorrir quando ela descreveu a cena. Eu a imaginei no chão, suas mãos dando socos no ar, seus gritos histéricos invadindo os ouvidos dos soldados.

— E deu certo! O soldado que estava indo para o armário de louças distraiu-se e começou a andar na minha direção. Eu não sabia que era uma atriz tão boa! — ela jogou a cabeça para trás e riu. — Eles não sabiam o que fazer comigo. O soldado que estava no comando ameaçou me bater e mandou o jovem soldado me tirar da sala de estar. Ele me arrastou para a cozinha, mas eu continuei gritando.

"Por fim, o soldado que estava no comando apareceu novamente, mas dessa vez ele estava segurando minha caixa de joias. Lembra-se de quando chegou uma carta dizendo que os judeus tinham de entregar suas joias às autoridades? Bem, eu nunca contei a você, Gabi, mas eu não entreguei as minhas. Eu sabia que estava desrespeitando a lei, mas escondi meus tesouros em uma caixa sob uma tábua solta do piso do meu quarto. Quando ele entrou com aquela caixa, tive certeza de que seria presa. Em vez disso, ele disse que, como eu o tinha irritado com os berros, ele iria levar a caixa e eu não podia fazer nada."

— Oh! Mamãe! — eu gritei. — Não as suas joias! Não as suas belíssimas pérolas e tudo mais!

As joias de mamãe tinham sido passadas por várias gerações. As pulseiras e os colares de ouro, seus brincos de safira e o broche de rubi tinham sido herdados de sua mãe e sua avó. Outras das suas joias favoritas tinham sido presentes do papai, elas significavam muito para ela e para mim e, agora, tinham ido embora.

— Gabi, são bugigangas — mamãe disse, sorrindo. — Não significam nada comparadas às nossas vidas e à sua segurança. De qualquer forma, quando os soldados acharam as joias, pareceram perder o interesse na busca. Foram embora logo depois disso, deixando a casa como você está vendo agora. Esperei mais meia hora antes de deixá-la sair do armário de louças, para ter certeza de que eles não voltariam.

Nós nos abraçamos mais uma vez. Era um milagre eu não ter sido descoberta. Era um milagre mamãe não ter sido machucada. Foi quando reparei na mão dela.

— Mamãe, você está sangrando! — exclamei, segurando o pulso dela. — Os soldados a machucaram?

— Não — ela garantiu —, foi a chave. Quando eu a tranquei no armário de louças, não tive tempo de esconder a chave. Fiquei com medo de que, se eu a largasse, os soldados a encontrariam e, se eu a colocasse em meu bolso, poderia cair. Por isso, fiquei com ela na mão. Devo ter segurado com tanta força que ela cortou a palma da minha mão.

Examinei a mão dela mais de perto. Realmente, na palma dela, havia marcas vermelhas profundas traçando o contorno da chave do armário e cortes onde as pontas dentadas tinham furado a pele. As marcas de sangue mostravam quão ferozmente ela tinha me protegido... e o quanto ela me amava.

— Alguém deve estar cuidando de nós — ela murmurou.

— Sim — eu respondi —, e eu sei quem é.

Contei a mamãe a sensação que tive de que papai estava cuidando de mim enquanto eu estava escondida no armário de louças. Disse a ela que quase pude vê-lo e sentir o cheiro de suas roupas e sua loção pós-barba. Descrevi o quanto estava apavorada quando entrei no armário e a porta foi fechada e como meus medos tinham começado a desaparecer no momento em que senti a proximidade de papai. Contei a ela que foi como se papai estivesse lá comigo e recitei o poema que tinha sido sussurrado para mim na escuridão do meu esconderijo.

Mamãe ouviu com calma tudo o que eu disse. Quando terminei de recitar o poema de papai, ela sorriu.

— Sim, minha querida, acredito que você esteja certa. Papai está mesmo cuidando de nós e eu me sinto muito melhor sabendo que ele está aqui.

Capítulo 14

Assim que nos recuperamos, mamãe e eu começamos a limpar a casa. Mamãe disse que não aguentava olhar para a bagunça deixada pelos soldados. Todos os móveis fora do lugar, todos os pratos e copos quebrados eram um lembrete de que a casa tinha sido invadida e vasculhada. Tivemos de colocar tudo em ordem para começarmos a nos sentir em casa de novo.

Rapidamente, começamos a endireitar os tapetes, reorganizar os móveis, jogar fora os pratos quebrados e colocar tudo de volta ao seu lugar. Depois de pouco tempo, o andar de baixo estava quase do jeito que costumava ser. No entanto, por mais que tentássemos, não conseguiríamos livrar o lugar das memórias deixadas pela invasão. Todas as vezes que eu fechava os olhos, ouvia botas do lado de fora novamente. Podia escutar vozes nervosas gritando ameaças para mamãe e podia ver os soldados destruindo nossos pertences. Muito depois de os cômodos da casa terem sido arrumados, eu ainda sentia que tudo estava contaminado.

Quero dizer, tudo menos o armário de louças. Ninguém havia tocado nele, ele tinha sido meu amuleto, meu santuário, o melhor esconderijo que eu poderia ter encontrado.

De todos os cômodos, o meu quarto era o mais bagunçado. Os soldados tinham feito uma busca especialmente minuciosa lá, talvez pensassem que poderiam encontrar alguma pista de onde eu estava. Cada armário, gaveta e guarda-roupa tinha sido esvaziado, roupas estavam espalhadas por toda parte, meus preciosos livros ficaram empilhados no chão, minha cama estava uma bagunça. Peguei minha colcha no assoalho e vi, horrorizada, minha boneca de porcelana, a boneca que Nina tinha me dado de presente de aniversário, cair das cobertas.

A boneca ficou no chão, seu rosto de porcelana destruído, sua roupa bordada rasgada e suja. Ao lado da boneca, no tapete, havia uma única marca de bota preta.

Deixei-me cair no chão e recolhi a boneca em meus braços, abraçando-a com força. Ela estava destruída e seu rosto arruinado; era um cruel lembrete de que minha amizade com Nina também estava destruída, sem chance de conserto. Ainda estava sentada no chão quando mamãe entrou. Ela balançou a cabeça, compreensiva, na direção da boneca e sentou-se delicadamente na borda da minha cama.

— Gabi — ela começou a dizer, limpando a garganta —, lembra-se de quando conversamos sobre a família Kos, que costumava trabalhar na nossa fazenda?

— Você está falando da família que se mudou de volta para as montanhas? — eu perguntei, nervosa.

A última vez que mamãe tinha falado da família Kos foi quando estava pensando em me mandar para longe. Meu coração ficou gelado enquanto eu esperava para ouvir o que ela ia dizer em seguida.

— Isso mesmo. São boas pessoas e sempre disseram que poderíamos pedir ajuda a eles. Bem, eu acho que esse é o momento de conversarmos sobre ir ficar com eles...

— Não — eu interrompi —, de forma alguma! Mamãe, já tivemos essa conversa antes. Eu disse da outra vez e vou dizer agora, eu *não* vou sair daqui sem você.

Por mais nervosa que eu parecesse estar, lá no fundo eu estava com muito medo de que ela não me desse escolha. Se ela decidisse que eu tinha que ir, não haveria nada que eu pudesse fazer.

— Você entende o que estou dizendo, mamãe? — eu supliquei. — Por favor, não me mande embora!

— Gabi, minha querida, acalme-se e deixe-me terminar — mamãe continuou. — Não estou falando apenas de *você* ir ficar com a família Kos. Estou falando de *nós duas*. É hora de conversarmos sobre irmos as duas nos esconder juntas em algum lugar.

Fiquei pasma. Por um lado, era um alívio saber que mamãe não tinha mais a intenção de me mandar para longe. Se fôssemos partir, iríamos juntas. Por outro lado, ela estava realmente pensando que deveríamos deixar a nossa casa.

— Não contei isso a você, Gabi — ela acrescentou —, mas os soldados ficaram furiosos por não a encontrarem. Quando estavam saindo, aquele que estava no comando disse que retornaria e que, quando voltasse, ele viria atrás de mim.

Ela pegou minha mão e a segurou entre as mãos dela.

— A verdade é que aqui já não é seguro para nenhuma de nós.

Mamãe estava certa, e a família de Marishka estava certa, e também os Bottensteins, e os Wohls, e os Singers e todos os outros que tinham escapado da vila. Não era sensato ficar por mais tempo, nenhuma família judia estava segura lá. O perigo era tão grande. Se tínhamos que deixar nossas casas para proteger nossas vidas, então era isso que deveríamos fazer.

— Quem sabe por quanto tempo essa loucura vai continuar? — mamãe disse com tristeza. — Mas uma coisa é certa, não podemos esperar o final dela aqui.

— Quando partiremos? — eu perguntei.

— Assim que fizermos as malas com algumas provisões — ela respondeu. — Pode levar algum tempo até prepararmos tudo, mas eu vou enviar um recado para a família Kos dizendo que precisamos de ajuda. Assim que recebermos a resposta e os preparativos estiverem feitos, iremos.

Olhei ao redor para o meu quarto, sabendo que não poderia levar muitas coisas comigo. Talvez fosse melhor assim. Se tivesse que escolher somente poucas coisas, seria quase impossível. Quase tudo que estava em meu quarto era precioso para mim. Lembrei-me do jogo que Marishka e eu costumávamos jogar no caminho para a escola. Quais as dez coisas que eu levaria comigo se tivesse que sair do país? A boneca tinha sido minha primeira opção, mas estava destruída. Olhei para Mashka, dormindo tranquilamente ao pé da minha cama. Eu iria convencer mamãe a me deixar levar a gatinha conosco, ela seria feliz lá. Ela era forte e inteligente, ficaria bem onde estivesse. Eu sabia que comigo e mamãe seria o mesmo. Dei um longo suspiro.

— Não fique preocupada, minha querida — mamãe falou quando levantou para sair do quarto. — Conseguimos ficar seguras até agora e tenho certeza de que continuaremos seguras. Você sempre me lembrou de pensar no que papai costumava dizer, que "tudo ficará bem enquanto estivermos juntos". Então, ficaremos juntas.

— Algum dia vamos voltar, mamãe?

— Quem sabe, minha querida? Quem sabe?

Capítulo 15

— Você algum dia voltou, Babichka? — Paul perguntou quando a história parecia ter chegado ao fim.

Vera e Paul ainda estavam deitados no sofá da sala de estar de sua avó. Ela tinha falado por horas e, lá fora, o dia já estava começando a escurecer. Logo, os pais de Vera e Paul chegariam para levá-los para casa depois do longo dia de visita. Dentro da sala de estar, o abajur lançava uma sombra suave no rosto da avó deles e na superfície do armário de louças, que estava atrás dela.

— Bem, deixe-me contar o que aconteceu depois — ela respondeu. — Minha mãe e eu deixamos nossa casa para nos refugiarmos nas montanhas com a família Kos. Nós nos escondemos no celeiro deles e, todos os dias, eles nos traziam comida, água e outras coisas de que precisávamos. Eles tinham uma filha da minha idade que se chamava Evichka. Ficamos amigas e muitas vezes brincávamos juntas nos montes de feno que havia no celeiro. Os dias eram longos e, geralmente, entediantes para mim, não sei o que teria feito sem a companhia de Evichka.

"Às vezes, minha mãe deixava que eu pegasse emprestadas algumas roupas de Evichka. Quando eu me vestia como as crianças da vila, podia brincar do lado de fora com Evichka, à noite, quando ficava escuro e havia pouco risco de sermos vistas. Lá eu me sentia livre e podia respirar ar puro. No entanto, mesmo durante a noite, era ousado e arriscado eu sair do nosso esconderijo. Se alguém da vila tivesse visto nós duas e suspeitado, poderíamos ter sido denunciadas para a polícia e presas imediatamente. Com o tempo, ficou muito perigoso sair do celeiro, soldados estavam vagando por aquelas vilas, procurando famílias de judeus escondidas e alguns moradores estavam ansiosos para nos denunciar. Por isso, na maior parte do tempo, eu apenas ficava escondida no celeiro, jogando com mamãe e Evichka ou lendo livros que a família dela nos trazia.

"Eu tinha treze anos e meio quando mamãe e eu nos escondemos no celeiro nas montanhas e quinze quando a guerra acabou e soubemos que era seguro voltar para a nossa vila. Ficamos longe quase um ano e meio, o tempo tinha parecido infinito.

"Foi difícil dizer tchau para Evichka e a família dela no final da guerra. Eles tinham arriscado suas vidas para nos manter em segurança. Mantive correspondência com Evichka por anos depois disso, escrevendo de vez em quando, até que, por fim, perdemos o contato. Porém, nunca esquecerei a gentileza e coragem da família dela.

"Mamãe e eu viajamos montanha abaixo em direção à nossa casa sem saber o que encontraríamos lá. Bem, nossa casa ainda estava lá, praticamente do jeito que a tínhamos deixado, entretanto, havia uma grande mudança. Outra família estava vivendo lá! Vocês podem imaginar o que é voltar para casa depois de tanto tempo e descobrir que o lar que pensávamos ser nosso não nos pertencia mais? Isso aconteceu com muitas famílias judias. Pessoas estranhas simplesmente tomaram posse das nossas casas e a lei as tinha deixado fazer isso. Nossos móveis, livros, pertences, tudo estava sendo usado por estranhos e não havia nada que pudéssemos fazer.

"Lembro quando mamãe e eu batemos na porta da nossa casa. A mulher que atendeu era a esposa do supervisor que tinha vindo olhar nossa propriedade quando ainda morávamos lá. Ela soube imediatamente quem nós éramos e ficou visivelmente constrangida. Sabíamos que ela estava preocupada que fôssemos lhe causar problemas, assim, ela nos deixou entrar e pegar alguns poucos tesouros. Mamãe pegou os castiçais e o tabuleiro de xadrez que papai e eu usávamos para jogar e alguns outros itens importantes para ela. Depois, ela encarou a mulher que estava vivendo na nossa casa e exigiu um único móvel. Vocês conseguem adivinhar qual foi? É claro, foi o armário de louças. Este belo armário de louças que vocês veem aqui na minha sala de estar era o único que mamãe estava decidia a não deixar para trás.

"A outra mulher ficou pasma, mas mamãe foi tão firme que ela não teve outra escolha a não ser concordar. Mamãe pegou um velho caminhão emprestado e nós o usamos para levar o armário de louças e outras coisas pequenas. Durante vários meses depois disso, ficamos na casa de alguns primos em uma cidade próxima. Depois, com nossos escassos pertences, mamãe e eu cruzamos o oceano para começar nossa nova vida na América do Norte."

A sala de estar ficou em silêncio quando a história terminou. Vera e Paul olharam com espanto para o armário de louças diante deles. Lentamente, eles se levantaram do sofá e se aproximaram do armário, abrindo as portas para espiar dentro. Paul se agachou, medindo sua própria altura em relação à altura do armário. Ele imaginou qual seria a sensação de ter de ficar encolhido daquele jeito dentro de um espaço pequeno e escuro por horas e horas.

— Babichka — Vera disse, pensativa —, a Gabi... quero dizer, *a senhora* foi muito corajosa. Eu não sei se poderia ter me escondido ali.

— Bem — sua avó respondeu —, eu estava com medo, mas eu tinha meu papai lá para me proteger. Pelo menos, senti que tinha e, cada vez que ouvia sua voz, ficava um pouco menos assustada.

— E isso a ajudou? — Vera perguntou, desconfiada.

— Isso me ajudou muito. Às vezes, quando você acredita que alguém ou alguma coisa está ao seu lado para ajudar, você sente que pode fazer qualquer coisa.

— Como naquela vez em que você me deu uma moeda da sorte para eu segurar, enquanto fazia um teste para a peça do colégio?

— Exatamente. A moeda era para lembrá-la de mim e, quando você a segurou e pensou em mim, teve coragem para fazer o teste. Da mesma maneira, a voz do meu pai me lembrava dele e, quando pensei nele e imaginei sua voz, sua presença, senti-me calma e corajosa.

— Ainda assim, espero nunca ter que ser tão corajosa — Vera suspirou.

Gabi Kohn ficou alguns momentos sem responder. Ela sabia que havia tido sorte de sobreviver à guerra quando tantos outros não tinham conseguido. Rezou em silêncio pedindo que seus filhos e netos nunca tivessem que sofrer do jeito que seu povo sofreu durante aquela época terrível.

— Oh! Também espero que não — ela respondeu. — Mas escutem, acho que os pais de vocês estão batendo na porta. Vamos lá, vamos abrir a porta para eles e tomar um lanche rápido antes que todos vocês vão para casa.

Mais tarde, muito tempo depois de Vera, Paul e seus pais terem ido embora, Gabi Kohn andou pelo *hall* escuro de sua casa até a sala de estar. Sozinha, ela se aproximou do armário de louças. Passou a mão amorosamente pela velha madeira, agora desbotada e gasta pelo tempo.

Lentamente, ela abriu as portas do armário de louças, aquelas que, certo dia, tinham sido abertas para que ela engatinhasse para dentro e se escondesse. Ela espiou o seu interior escuro e pensou em seu pai, do mesmo jeito que havia pensado nele tantas vezes desde aquele dia. Ela ainda sentia falta dele, isso nunca mudaria, porém, mais uma vez, ela viu o sorriso dele e ouviu suas corajosas e maravilhosas palavras:

Vou protegê-la do mal,
Você não deve sentir temor,
Você estará segura, minha criança preciosa,
Você estará segura, meu amor.

Nota da autora

A maioria dos personagens e incidentes que aparecem em *O segredo do armário de Gabi* é fictícia. No entanto, o cenário histórico foi retratado com exatidão e a história é inspirada em pessoas reais e em um acontecimento real. Durante a Segunda Guerra Mundial, minha mãe escondeu-se em um armário de louças de madeira que ficava na sala de jantar de sua mãe. Enquanto ela estava escondida, soldados da Guarda Eslovaca vasculharam a casa procurando por ela. Dizem que sua mãe, minha avó, segurou a chave do armário com tanta força que as pontas da chave fizeram a palma de sua mão sangrar. O irmão de minha mãe, que era apenas um garotinho na época, conseguiu distrair os guardas e desviar a atenção deles do esconderijo de onde ela estava. Para contar esta história, não o incluí em *O segredo do armário de Gabi*. No entanto, na vida real, ele teve um papel fundamental em salvar minha mãe de ser descoberta.

Em 1944, o exército alemão estava deportando todas as famílias judias que ainda viviam na parte oriental da Eslováquia para campos de concentração. Diante de um perigo cada vez maior, minha mãe e sua família deixaram sua casa e esconderam-se em uma pequena vila nas montanhas, na fronteira com a Polônia. Ali ficaram até o final da guerra, quando a vila foi libertada por soldados russos. Eles viajaram de volta para sua cidade natal e minha avó recuperou o armário de louças e o levou com ela, primeiramente para Israel, onde a família viveu por muitos anos e, depois, para a América do Norte. O armário de louças ficou na sala de jantar da minha avó até 1989, quando ela faleceu e o deixou para mim. Ele agora está na sala de jantar da minha casa.

A guerra na Tchecoslováquia

Setembro de 1938

Alemanha, Grã-Bretanha, França e Itália assinam o Pacto de Munique, que entrega a parte oeste da Tchecoslováquia, conhecida como Sudetos, para a Alemanha.

Março de 1939

A Eslováquia, parte oriental do país, declara-se independente e assina um Tratado de Proteção com a Alemanha nazista. Embora o país tenha sido dividido, deixando a Eslováquia, oriental, independente, as duas partes estavam igualmente comprometidas com a perseguição aos judeus.

Junho de 1939

Uma lista de leis contra os judeus é proclamada. Nos anos seguintes, mais e mais restrições foram impostas aos judeus.

Outubro de 1939

Os primeiros judeus tchecos são deportados para campos de concentração na Polônia. Em outubro de 1942, 75% dos judeus tchecos tinham sido deportados. A maioria foi morta no campo de concentração de Auschwitz.

Setembro de 1941

O Código Judeu é estabelecido. Ele lista 270 parágrafos de restrições contra os judeus.

Fevereiro de 1942

A deportação de judeus da Eslováquia começa. Donos de lojas e pensões pobres são os primeiros, seguidos por políticos, garotas solteiras e, por fim, famílias inteiras.

1942 – 1944

Os judeus da Eslováquia continuam a ser deportados para campos de concentração. O governo da Eslováquia paga à Alemanha por cada judeu deportado. Dos 137 mil judeus que viviam na Eslováquia antes da guerra, mais de 72 mil morreram em campos de extermínio.

Maio de 1945

Soldados aliados libertam a Tchecoslováquia.

Este livro foi reimpresso, em segunda edição, em setembro de 2022,
em papel offset 90 g/m^2, com capa em cartão 250 g/m^2.